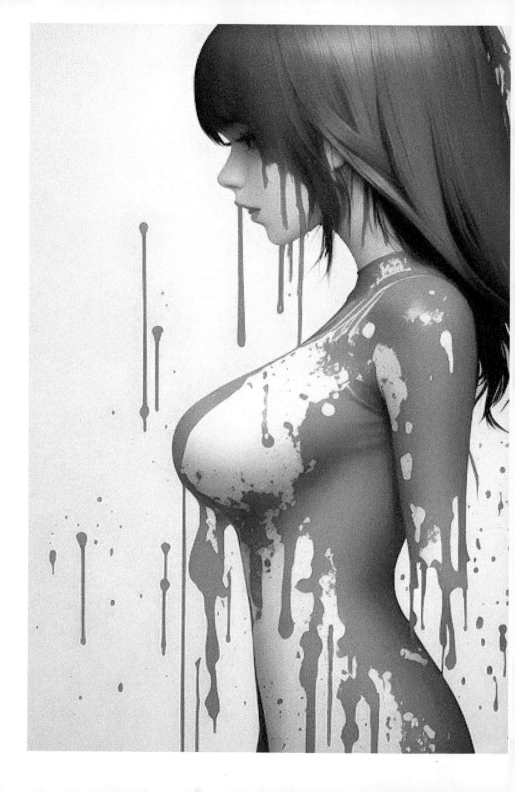

MELAINA

BLOOD

Revenge

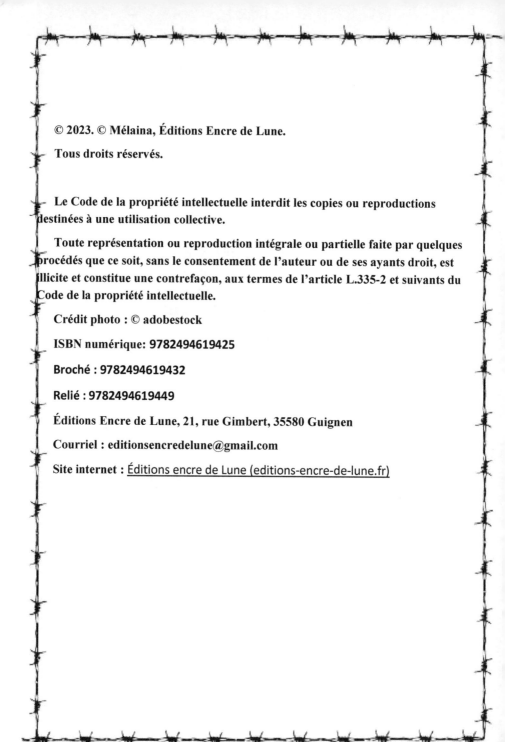

Crédit photo : © adobestock

ISBN numérique: 9782494619425

Broché : 9782494619432

Relié : 9782494619449

Éditions Encre de Lune, 21, rue Gimbert, 35580 Guignen

Courriel : editionsencredelune@gmail.com

Site internet : Éditions encre de Lune (editions-encre-de-lune.fr)

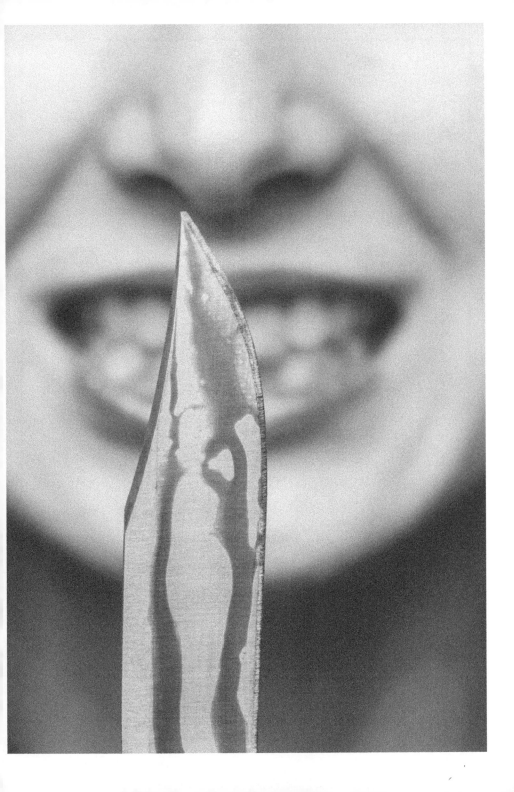

Dédicace

Prologue

Comment devient-on ce que je suis ? C'est simple.

Quand j'étais enfant, j'entendais ma voisine hurler et pleurer chaque soir, mes parents me disaient d'aller dans ma chambre et de mettre la télévision assez forte pour occulter le vacarme dans l'appartement mitoyen au nôtre.

Quand cette dame est morte sous les coups de son mari, je me suis juré que, quand je serais grande, je protégerais toutes les victimes : femmes, enfants et hommes. Peu importe la situation dans laquelle elles se trouvent.

J'ai tenu cette promesse que je m'étais faite étant gamine en m'occupant de ces monstres qui font du mal à autrui. Jamais je ne fermerai les yeux ou ne mettrai de bouchons d'oreilles comme mes parents faisaient en se disant « *ce ne sont pas nos affaires* ». Moi, j'agis de façon primaire et radicale. La mort est la seule réponse à ces agissements et j'aime faire souffrir à hauteur des crimes commis.

Quoi de mieux que de s'associer à une bande de mecs tarés et prêts à tout pour quelques billets ? Se marier avec le chef de la plus grande organisation de malfaiteurs du pays ! Son domaine de prédilection est la vente d'armes, quelles qu'elles soient tant que ça rapporte gros.

Quand on aime, on ne compte pas, tel est le crédo de mon homme qui se trouve être tout aussi charismatique qu'intraitable. Pour me faire plaisir, il m'a offert ce que je n'aurais jamais pu financer. Une équipe informatique qui traque mes proies, des hommes de main qui me les ramènent à mon repaire et une autre qui nettoie après mon passage afin de ne laisser aucune trace qui pourrait mener les flics jusqu'à moi.

Je suis ce qu'on appelle communément une psychopathe, mais j'assume ! J'aime ce que je fais, me délectant de chaque torture que j'inflige aux monstres qui peuplent ce monde. J'agis là où les policiers sont impuissants, car les lois ne les aident pas forcément à faire correctement leur boulot.

Attention, ne vous trompez pas, je suis loin d'être altruiste ou gentille, j'en profite simplement pour agir sans retenue, aucune. Plus c'est sanglant et barbare et plus je suis euphorique, voire excitée. Mon homme adore me voir revenir de mes missions punitives !

À qui vais-je m'en prendre la prochaine fois ? Vous craignez pour vous ? Pour votre famille ? Vous avez raison ! Dites-vous que si dans votre sillage vous n'avez laissé que désolation, tristesse et violence alors vous allez le payer, au prix fort ! Retour à l'envoyeur en quelque sorte, vous voyez le genre ?

Préparez-vous, j'arrive !

Tic-tac.

Chapitre 1

— Pompes funèbres Clayton, bonjour, que puis-je faire pour vous ?

— Bonjour, officier Marshal de la police de Nancy. Nous avons un corps à venir chercher. Accident de la route sur l'autoroute A31 au niveau de la zone commerciale de Frouard, vous pouvez nous envoyer un véhicule mortuaire rapidement ?

— Oui bien sûr, j'ai une équipe présente, elle part tout de suite.

— Merci, Madame, bonne fin de journée.

— À vous également, officier Marshal.

J'entends Maélia, ma secrétaire, sortir de son bureau pour aller en direction de la salle de repos de mes croquemorts, puis dire à Mitchell et Phillips d'aller chercher un macchabée dans la rue… Un accident de la route visiblement. C'est bien, l'argent rentre avec ce boulot, je ne risque pas de déposer le bilan. Il y aura toujours des morts à enterrer. Les affaires sont prospères et me permettent de faire ce que j'aime sans me faire remarquer. Quand les flics fouillent les véhicules sur la route pour trouver de la drogue, armes ou qu'ils recherchent une personne mystérieusement disparue, ils ne regardent jamais dans les corbillards. Je peux continuer de tuer sans crainte d'être démasquée en transportant les cadavres que je laisse derrière moi. La meilleure idée que j'ai eue a été d'acquérir en plus de ma boutique de pompes funèbres, un crématorium pour faire disparaître les corps des personnes que j'ai assassinées de sang-froid.

Il faut dire que je ne chôme pas, entre le travail déclaré et ce que je fais le soir pour me détendre, mes journées sont bien remplies. D'ailleurs, il est temps de voir si j'ai des commandes, alors je sors mon ordinateur portable personnel, qui ne me quitte jamais. Celui-ci a été spécialement préparé afin d'être indétectable par les forces de police. L'avantage d'avoir les meilleurs hackers du pays à ses ordres ! Je me connecte sur le darknet et regarde les demandes que l'on m'a données, si les paiements sont effectués puis transfère le tout à mon équipe informatique. Je dois tout savoir sur mes cibles, les informations de base telles que : nom, prénom, adresse, lieu de travail, mais aussi les habitudes de sortie, les gens qu'ils fréquentent, etc.

Il me faut tout vérifier avant de partir en chasse, il n'est pas permis de se tromper de personne et d'embarquer un individu qui serait un bon citoyen.

Ça ne se fait pas, je jouis d'une réputation à laquelle je tiens énormément !

Ensuite, je regarde les pièces jointes aux dossiers et observe les preuves d'actes ignobles subis par mes commanditaires. J'aime observer jusqu'où l'être humain est capable d'aller envers sa famille, ses amis ou même des inconnus, cela me permet de me préparer. Disons que j'aime infliger à ces charognes dix fois plus de douleurs et de tortures que ce qu'ils ont pu faire subir à leurs victimes. C'est tellement bon et délectable de les voir pleurer et demander pardon, mais le plus jouissif est de les entendre me supplier d'arrêter.

J'adore ça !

Les odeurs d'urine et de sueur ne me gênent pas, au contraire, cela m'aide à poursuivre encore plus sadiquement mes sévices. Comme si ça nourrissait l'adrénaline qui circule dans mes veines et me permettait de rester concentrée sur ce que je fais. Oui je sais, ça peut paraître bizarre ou dérangeant pour certains, mais c'est comme ça que ça se passe pour moi.

Qui s'en plaint ?

Enfin à part mes victimes ?

Les personnes qui m'emploient le font, car elles savent que je suis sans pitié et elles ont entièrement raison ! J'aime ce que je fais, ça me détend et je suis grassement payée pour faire ça.

Alors pourquoi je m'en priverais ?

Je ferme ma session, range mon ordinateur dans la sacoche et la cadenasse. Je vais devoir attendre un peu avant de choisir parmi les trois contrats que j'ai reçus aujourd'hui, par lequel je vais commencer. En attendant, j'ai du boulot qui m'attend, dans une demi-heure, j'ai un rendez-vous avec une femme qui enterre un membre de sa famille dans quelques jours. Je vais devoir enfiler mon masque de femme empathique et pleine de compassion devant la peine et les larmes de ma cliente.

Putain, j'aurais pu être actrice tellement je suis douée pour être une autre personne.

Ce qu'il ne faut pas faire pour paraître normal, humain alors que je ne ressens aucun sentiment de ce genre !

Seul mon mari sait voir qui je suis vraiment, c'est pour ça que je l'aime tellement. Notre amour est puissant, sauvage à la limite de la bestialité. Quand nous sommes à deux, c'est orgasmique. Chaque jour, il nous est inimaginable de refouler ce désir que nous ressentons l'un pour l'autre, celui-ci est trop fort à combattre. De toute façon, nous ne souhaitons pas essayer, nous sommes trop accros à nos corps à corps pour ça. Ce pic d'électricité qui traverse nos pores de la base de nos cuirs chevelus jusqu'au bout de nos orteils, telles des ondes sismiques qui serpentent nos veines. Ce brasier est impossible à éteindre, il faut simplement que nous le laissions se consumer en nous donnant l'un à l'autre sans concession.

Il faut que j'arrête de penser à ça pour l'instant, sinon je risque de téléphoner à mon mari dans les minutes qui suivent pour satisfaire mon envie de sexe plus que pressante. Nous avons un empire à faire tourner, lui vend les armes et moi, j'enterre les victimes tuées par celles-ci.

Je suis sortie de mes pensées peu catholiques par des coups toqués sur le chambranle de la porte de mon bureau. La porte s'ouvre sur Maélia qui accompagne ma cliente Madame Miller. Celle-ci vient pour finaliser les démarches administratives et payer les prestations que mes hommes vont accomplir le jour de l'enterrement de son mari.

L'argent rentre dans les caisses ! Il n'y a pas plus lucratif que la mort, très bon secteur d'activité que mon mari et moi avons choisi pour gagner un maximum de fric rapidement et en flux continu. Je suis obligée de cacher ma joie de voir mon entreprise fructifier, quelle horreur !

— *Je vous en prie Mme Miller, installez-vous dans mon bureau, nous y serons plus au calme.*

— *Je vous en remercie.*

La blague, il n'y a pas plus calme qu'un funérarium. Ce ne sont pas les morts les plus bruyants ! L'avantage c'est qu'il y fait toujours frais l'été, ce ne serait pas très pro si le maquillage qu'on place sur les visages des cadavres dégoulinait.

Je garde cette information pour moi, évidemment car pas sûre qu'elle apprécie ma touche d'humour noir.

Chapitre 2

Mon équipe informatique m'a fait parvenir les informations trouvées sur mes trois clients. Il s'avère qu'ils sont aussi mauvais les uns que les autres. Tous pourris jusqu'à la moelle ! Un se démarque plus que ses acolytes même s'ils ne se connaissent pas, ils restent des fumiers de la pire espèce. Je vais donc commencer par lui. Sortant le dossier préparé par mes hommes, je lis le descriptif des atrocités commises par ce type.

NOM : Rodriguez

PRÉNOM : Roberto

DATE ET LIEU DE NAISSANCE : 16/02/1983 à Fléville devant Nancy

ADRESSE : 15 rue de Lorraine 57 000 Metz

POSTE OCCUPÉ DANS LA SOCIÉTÉ : Plombier

FAMILLE : Serena Rodriguez (femme), 2 enfants (Pietro 8 ans et Marlène 6 ans)

CASSIER JUDICIAIRE : vierge

ACTE REPROCHÉ : agressions sexuelles et viol sur sa nièce et sa fille.

PERSONNES SUSCEPTIBLES DE SIGNALER SA DISPARITION : employeur, parents (père et mère)

BILAN DE LA RECHERCHE : Cet homme est un violeur d'enfants, ayant une préférence pour les jeunes fillettes de 6 à 12 ans. Très malin, le sujet reste malgré tout discret sur sa perversion. Très manipulateur, il sait faire garder le silence à ses victimes en les menaçant de s'en prendre aux personnes proches de celles-ci (sœurs, cousines…). Le client demande de le faire souffrir +++ afin de venger les petites victimes qui sont traumatisées et apeurées.

Après lecture du CV criminel de cette raclure, je m'imagine déjà les tortures que je vais lui infliger. Sortant mon téléphone prépayé, j'envoie à mes hommes de main l'ordre d'aller chercher ce taré.

[Colis N° 2 à emmener au lieu habituel. Exigence : le ficeler nu sur la chaise et le laisser conscient, mais bâillonné. Utilisez si besoin un taser pour le réveiller, au cas où il resterait des restes de sédation dans son sang, ça le mettra dans l'ambiance ! Que tout soit prêt demain soir : 19 h. Emmenez ses outils, je vais m'en servir, surtout le coupe tuyaux.]

Voilà une bonne chose de faite. Je vais bien m'amuser avec lui !

Le lendemain, je quitte mon bureau vers 17 h 30 et rentre chez moi. L'avantage de vivre avec beaucoup d'argent, c'est qu'on peut acheter une grosse propriété à l'écart des regards et des oreilles curieuses. En arrivant dans la maison, je vais me changer afin de me mettre à l'aise. J'aime être libre de mes mouvements quand je pratique mes tortures et mes mises à mort. Je passe par ma cave et prends la direction de mon hangar en empruntant un passage sous terrain construit il y a plus de cent ans.

J'adore pratiquer mon art sans avoir peur d'être suivie et traquée par les forces de l'ordre. Comme n'importe quel individu, je rentre à mon domicile après une journée de travail. Quand j'arrive dans mon repaire, j'observe la scène qui se déroule devant moi et j'aime ce que je vois.

Un homme est attaché solidement à une chaise en acier au niveau des poignets et des chevilles avec des câbles électriques. Ce n'est pas une assise « *normale* », non, celle-ci est faite maison. J'entends par là que j'y ai fait faire des modifications peu communes. Les accoudoirs sont en bois massifs et changeables à volonté, le dossier en fer forgé est joliment travaillé afin d'illustrer une scène de mise à mort, mais très inconfortable. Les pieds sont sculptés de centaines de petits pics acérés qui entrent dans la peau au moindre mouvement esquissé par la personne qui se trouve en appui dessus.

C'est rigolo de voir à quel point il est moins sûr de lui, ficelé comme un rôti, alors qu'il joue les mecs forts devant une fillette innocente.

J'adore contempler la peur et le désarroi dans le regard de mes victimes. Se retrouver nu et drogué dans une pièce remplie d'outils de torture et rester digne, ce n'est pas à la portée de tous. Comme beaucoup, cet abruti s'urine dessus, les effets de la peur ont encore frappé. En plus de ne pas réussir à se contenir, il sue à grosses gouttes. Un vrai porc ! Je m'en délecte, tel un shoot d'adrénaline, mon corps réagit favorablement et s'électrise. Je vais bien m'amuser, lui, beaucoup moins. C'est ce qui est orgasmique !

Les personnes qui me paient le font pour que je sois brutale et barbare afin que mes victimes souffrent le plus possible avant de trépasser. Respecter les demandes de mes clients est important et puis, j'ai une réputation à tenir !

Je délaisse le futur cadavre pour regarder ce que mon équipe a fait pour ma nouvelle déco. Les murs ont été repeints en rouge sang sur lesquels mes étagères noires ressortent. Des affiches représentant des têtes de morts et des corps ensanglantés sont disséminées çà et là, ma passion pour le macabre est fort exposée dans mon antre. L'espace est délimité en deux parties, au fond de celui-ci se trouve mon espace torture alors que tout le devant est dédié à ma détente. Un salon lounge avec un canapé, une table en chêne sculpté et un bar contenant les meilleurs alcools du monde. Une douche m'est également réservée, de cette façon je sors propre comme un sou neuf pour rejoindre mon mari.

En ce qui concerne la disposition de la partie « *travail* », il y a au milieu, une chaise fixée au sol, celle sur laquelle est attaché l'homme semi-conscient. Une table d'autopsie est positionnée sur le côté gauche, tandis qu'à droite se trouve une baignoire. En bonus, il y a un local savamment caché contenant les produits détergents tels que la javel. Celui-ci est accessible en actionnant un mécanisme.

Une rigole serpente sur le sol afin de pouvoir nettoyer et éliminer le sang facilement et rapidement grâce aux tuyaux qui sont fixés tout le long du mur. Toute cette eau souillée s'infiltrera dans la terre, aucune chance pour retrouver la moindre trace de sang dans les canalisations de ma maison.

Les choses sérieuses vont enfin pouvoir commencer, il m'observe me déplacer dans la pièce. Si j'étais dans sa tête, je flipperais en voyant une personne choisir méticuleusement une arme dans le but de me faire souffrir. Le plus déstabilisant pour mes proies, c'est mon silence. Dès le début, j'aime être dans ma bulle et visualiser en avance les tortures que je vais infliger, le tout sans qu'aucune parole ne sorte de mes lèvres divines.

Eux, ils se demandent à qui ils ont affaire et s'interrogent sur ma place dans le schéma.

Une idiote qui serait là pour assister leur futur agresseur ?

Ou suis-je le monstre qui va les faire trépasser sous mes airs de femme fragile et douce ?

J'aime déconcerter ces ordures.

Il va bientôt comprendre que je ne suis pas ici pour faire de la figuration, mais que je suis bien la maîtresse de ce jeu morbide et qu'il va être la victime de mon cerveau détraqué.

Chapitre 8

Après l'avoir fait patienter quinze atroces minutes d'un faux calme relatif dans cette pièce lugubre — ma salle de jeux — je m'approche de lui. D'une main, je lui abaisse le bâillon qu'il a dans la bouche tout en mettant mon autre bras dans mon dos, je garde une part de mystère sur ce qui l'attend. J'avoue que je ne veux pas qu'il sache quelle arme j'ai choisie et qui se trouve entre mes mains. J'adore le laisser s'imaginer les pires scénarios qui sont en train de danser dans ma tête. Il récite en murmurant une prière en portugais, personne ne pourra le sortir d'ici vivant, dieu n'a pas sa place dans mon antre, seul le diable y est cordialement invité.

— Roberto, Roberto, Roberto. Penses-tu que le tout puissant va te protéger de moi ? Après tout, tu ne t'es pas posé la question quand tu as pris violemment ce que ta fille et ta nièce avaient de plus cher. Leur innocence !

— S'il vous plaît, laissez-moi rentrer chez moi ! Je suis désolé pour le mal que je leur ai fait, je vous promets de ne plus jamais recommencer et de me faire soigner !

— Te faire soigner ? Oh, mais ne t'inquiète pas, je vais m'occuper de ton traitement moi-même, et ce maintenant !

— Je vous en supplie, ne me faites pas de mal !

— Quand ces petites fillettes te suppliaient d'arrêter, les as-tu écoutées ? Humm non, donc tu vas devoir en subir les conséquences, après tout chaque acte commis doit être rendu au centuple. Tu as de la chance, j'aime prendre mon temps, on a toute la nuit, voire même le week-end, je ne suis pas pressée.

Il se met à pleurer comme un bébé, quelle lavette ! Je n'ai pas encore commencé à jouer. C'est effarant !

— Fini la parlotte, place à l'action. Tu commences à m'ennuyer à chialer comme un morveux, j'ai l'impression d'avoir affaire à un enfant qui s'est fait « bobo » aux genoux.

Je sors de mon dos un marteau et deux clous. À la vue de mes outils, il se met à trembler comme une feuille. L'anticipation de ce que va être sa douleur est belle à voir. En plus de cette réaction, son épiderme se couvre de chair de poule, son pouls carotidien bat fort, des perles de sueur dévalent le long de son échine. La peur suinte par tous ses pores.

Étant accroché de toute part, il lui est impossible de s'échapper. Ses poignets sont fixés sur les accoudoirs d'une chaise inconfortable en ferraille, tout comme ses chevilles le sont aux pieds de celle-ci avec des serre-câbles en plastique. Son torse est quant à lui maintenu collé au dossier avec une corde rêche qui fait que chaque mouvement, même minime, lui brûle la chair.

C'est vraiment abrasif pour le derme, c'est ma préférée ! Autant vous dire qu'il n'est pas prêt de partir gambader dans la forêt !

M'approchant de lui, tout en lui dévoilant un sourire sadique, j'exhibe mes joujoux afin qu'il comprenne que les choses sérieuses commencent dès maintenant. Ficelé comme il l'est, la seule chose qu'il puisse faire, c'est d'observer mes faits et gestes en étant incapable d'éviter les sévices auxquels il va avoir droit.

J'attrape son avant-bras gauche d'une main ferme, puis je me penche vers son buste afin que ma bouche se trouve au plus près de son oreille. J'aime créer une atmosphère glauque entre mes victimes et moi en leur murmurant mes paroles qui indiqueront de quelle façon je vais mettre fin à leurs misérables vies.

— Tu as aimé violer ta fille et ta nièce, n'est-ce pas ? Alors comme je veux que tu ressentes la même chose qu'elles, on va revivre ensemble ce que tu leur as fait endurer lorsque tu les as traumatisées à tout jamais. Tu vas mourir en endurant les mêmes sévices qu'elles, mais malheureusement pour toi, je ne vais pas être tendre. Tu vas souffrir et crever de ma main. Vois-moi comme la faucheuse, je vais t'envoyer en enfer.

Je me détache de lui pour prendre un clou dans ma main gauche tandis que la droite tient le marteau. Je lui lance un regard équivoque, puis place la pointe à la jonction entre sa main et son poignet. Levant le marteau au niveau de mon épaule, je le redescends avec force afin qu'il enfonce le clou profondément dans les chairs de cette charogne de violeur d'enfant. Le pauvre Roberto hurle sa douleur, des larmes coulent le long de son visage. Il semble profondément souffrir, ce qui nourrit ma part d'ombre qui savoure tellement faire du mal. Cela me galvanise pour continuer avec une magnifique énergie puisée dans sa souffrance.

Il me faut recommencer trois fois l'opération pour que le poignet soit solidement fixé au bois de l'accoudoir, puis je prends le clou restant et passe au suivant.

— Tu vois maintenant ce que ça fait quand on te prive de tout mouvement en te retenant les poignets. C'est bien ce que tu as fait avec les petites, non ?

— Por favor ! Laissez-moi partir ! me demande-t-il en chialant comme un bébé.

— Tu l'as fait toi, quand ces fillettes t'ont imploré de les lâcher ?

— …

— Réponds !

— N.. non, murmure-t-il.

— Pourquoi vouloir partir ? On s'amuse bien tous les deux ! Sois sage une petite heure, tu veux bien ? J'ai très soif et voir ton sang maculer le sol, me donne également très envie de me servir directement à ta carotide. Ah ! Ah ! Ah ! Plaisanterie à part. Je t'aurais bien proposé un verre d'eau, mais comme je ne compte par te garder en vie, ce n'est pas bien grave si tu es déshydraté.

Je lui remets en place le bâillon dans sa bouche, puis me dirige vers mon bar quand une idée me vient en tête. M'arrêtant en chemin, je me retourne pour lui parler à nouveau.

— Ah, mais ouiiiii, suis-je bête ! Tu vas t'ennuyer pendant ce temps alors, tu sais quoi ?

— …

— Réfléchis à ce que tu as fait à ces deux jeunes filles quand tu les as violées. Souviens-toi de chaque détail. Chacune des choses que tu leur as fait subir, je vais te les faire payer.

Le son de son désespoir me donne du baume au cœur, car je sais qu'il se repasse le film des atrocités qu'il a fait endurer à ces deux enfants et qu'il sait qu'il va déguster.

Mais moi, ce qui est sûr, c'est que je vais me régaler.

Après tout, la vengeance est un plat qui se mange froid !

Chapitre 4

Après un repas rapide, je retrouve Roberto afin que l'on puisse continuer notre petit, tête à tête.

— Alors, tu as bien fait travailler ta petite cervelle de moineau ? Bon, écoute, on a assez perdu de temps, il est l'heure de s'y remettre.

Comme je l'avais demandé à mes hommes, les outils de travail de ce pervers m'ont été amenés. Je trouve exactement ce que je voulais, un morceau de tuyau, ainsi que l'appareil qui sert à couper celui-ci. Un sourire diabolique prend place sur mon visage quand je trouve du papier de ponçage.

Je commence par ce morceau abrasif dans un premier temps, après tout il faut suivre son mode de fonctionnement.

— D'après mes informations, tu aimes caresser les petites poitrines, c'est bien ça ?

— …

— Ah, mais bien sûr, c'est vrai que tu ne peux pas parler ! Ce n'est pas bien grave, je sais déjà tout, de toute façon.

Prenant entre mes doigts le papier, je le place sur son pectoral droit puis commence à frotter de manière énergique. La brûlure causée est telle que le pauvre Roberto n'a d'autre choix que de hurler et d'essayer de se soustraire à ma caresse brutale. En faisant cela, il ne fait rien d'autre que se faire encore plus de mal. En effet, il s'enfonce dans les chairs le fer du dossier qui lui lacère le dos. Mais également les pointes acérées se trouvant sur les pattes de ma chaise de torture, qui se plantent dans les cuisses et les mollets. En agissant ainsi, il ne fait rien d'autre que m'aider à le faire souffrir encore plus. Quant au bout de quinze minutes de frottage intensif de sa poitrine, sa peau a disparu, il ne reste plus que quelques lambeaux. La vue de son torse sanguinolent me plaît énormément. Cette raclure est à la limite de perdre connaissance.

J'aime sentir cette odeur ferreuse, si caractéristique du sang. En voyant le filet grenat couler le long de l'épiderme de mon sujet, cela me fait penser au jus d'une orange sanguine qui dévale le long de mon doigt. Humm, j'en ai l'eau à la bouche rien que d'y penser et l'envie de lécher ce liquide se fait ressentir au plus haut point. Me ressaisissant, je pars balancer les restes de feuilles ensanglantées dans la poubelle.

Me remettant dans la suite du plan, je prends en main le découpe tuyau puis m'approche à nouveau de Roberto. Cet appareil est simple d'utilisation et ne nécessite pas une forte puissance dans les bras. Habituellement utilisé pour découper les tuyaux de cuivre en plomberie, celui-ci est léger. Lui prenant l'index de force, je place entre la molette de coupe et les roulettes de guides, endroit qui normalement reçoit un tube cuivré. Avec l'aide de la molette qui se trouve à l'extrémité de l'outil, je serre et bloque le doigt en tournant celle-ci jusqu'à ce qu'il ne puisse plus sortir de son étau. Dès que le tout est en place, je prends l'outil en main et fais un tour complet autour de la phalange.

Chaque cercle fait pénétrer le disque de coupe plus profondément dans la chair et l'os, jusqu'à ce que la section du doigt soit complète et que le morceau coupé net tombe sur le sol. Les cris de Roberto sont comme des encouragements et me donnent de l'entrain. Je recommence l'opération avec tous ses doigts, le voir sans ses membres me fait du bien au moral, je venge ces petites de la meilleure des façons. La douleur que je lui inflige équivaut à celles psychiques qu'il a causées à ces pauvres âmes innocentes.

— *Tu as aimé enfoncer tes gros doigts dégueulasses à l'intérieur de leurs intimités, n'est-ce pas ? Tu le regrettes désormais ?*

— ...

Des larmes coulent de ses yeux le long de ses joues râpeuses dues à sa repousse de barbe. Ses pleurs étouffés par le tissu dans sa bouche m'indiquent que ce monstre a peur et qu'il souffre énormément. Il a compris qu'il ne peut rien faire contre ma brutalité ni tenter de sauver sa misérable existence. Sa route va s'achever ici, ce constat doit le peiner, mais il aurait dû y penser avant de s'en prendre à ces jeunes filles.

— Oups, je te les ai tous enlevés. Comme c'est triste et sûrement douloureux. Ah Ah Ah ! Tu l'as bien cherché après tout. Continuons, tu veux bien ?

En voyant la détresse dans son regard, un grand éclat de rire me traverse, j'en ai les larmes aux yeux tellement le désarroi qu'il exprime est pathétique. Reposant mon instrument, je prends un chiffon en main.

— Sais-tu comment ta fille a décrit l'intrusion de ton sexe dans le sien ?

— Hum hum hum…

— Ne cherche pas à répondre, je ne comprends rien ! Et puis à vrai dire, je m'en cogne ! Pathétique petite merde !

Il commence grandement à me gonfler, il fait sa pleureuse, mais au moins, il peut ressentir ce qu'ont vécu les pauvres gosses avec lesquelles cette enflure a joué. Sa réaction décuple mon envie de le voir m'implorer de mettre fin à son calvaire.

Qu'il ne rêve pas trop, je suis loin de l'état de compassion.

— Donc où en étions-nous ? Ah oui, la sensation de ton introduction violente dans son corps ! Tu veux connaître la comparaison qu'elle en a faite ?

— …

L'impression qu'on la plantait dans le ventre avec un tournevis brûlant. Tu l'as fait souffrir de la plus horrible façon. Violer par son propre père ! Espèce de pervers, ce que tu lui as infligé est une blessure indélébile. Le corps guérit peut-être, mais le souvenir que tu lui as gravé à jamais dans sa mémoire et son âme, l'abîmera encore plus que celui que tu as laissé sur sa peau

— …

Finissant de m'essuyer les mains, je repose le tissu souillé de son sang sur ma console à roulettes que je rapproche de Roberto. En effet, il va me falloir un peu plus de matériel pour la suite du programme. Sur le plateau de celle-ci, j'ai déposé divers tournevis, un chalumeau, mais également une seringue remplie d'un liquide transparent. À la vue du chariot ainsi de ce qu'il contient, Roberto devient blanc comme une aspirine. Ses pupilles se dilatent, son cœur bat des records de vitesse et il se met à suer comme un porc.

Encore ! Et je me délecte de cette fragrance d'effroi…

Ne lui laissant pas le temps de se préparer à ce qui va suivre, j'attrape un tournevis et lui enfonce avec force dans l'abdomen. Je vise à plusieurs reprises dans sa panse de gros lard, tout en évitant les points vitaux. Je fais de son ventre une vraie passoire en changeant régulièrement d'outils. Qu'ils soient plats ou cruciformes, mais de différentes tailles et grosseurs, tout y passe sous les hurlements de ce cher Roberto !

Faudrait pas qu'il claque trop vite non plus ! J'ai un programme chargé pour lui, je ne fais que m'échauffer.

Pour stopper les saignements dus au perçage de sa peau, je prends un morceau de fer que je plante dans les braises du feu qui crépite dans la cheminée non loin de là. Une fois que le métal est rouge, je l'attrape avec l'aide d'un gant puis l'applique sur les plaies afin de les cautériser. Durant l'opération, Roberto perd connaissance, non, mais c'est quoi ce mec qui vacille pour si peu ? Putain ! Ça se dit être un homme, mais c'est une lopette ! Pour lui redonner un coup de fouet et qu'il puisse continuer à ressentir la douleur que je lui inflige, j'attrape la seringue que j'avais préparée tout à l'heure. L'aiguille perce sa peau et j'injecte de l'atropine qui le réveille instantanément. Le concert qu'il m'offre avec ses cris obstrués par le tissu est magnifique pour mes oreilles de tortionnaire. Dès que toutes les plaies sont refermées et que le sang ne s'écoule plus de son corps, je lui laisse un peu de temps dans le néant avant de le réveiller. J'avoue que je suis déçue, il n'a pas tenu longtemps avant de lâcher prise, mais ce n'est pas grave, je suis une « coureuse de marathon » dans le domaine de la barbarie. Bon la sieste a assez duré, je veux qu'il entende ce qui va suivre, alors je le stimule pour qu'il revienne parmi nous. Roberto étant un peu fatigué, je décide de changer de punition et de position. Je le détache en faisant bien attention de lui faire le plus de mal possible en lui retirant les entraves qui le maintenaient. Je le fais avancer jusqu'à la table et le retourne de façon à ce qu'il repose sur le ventre avec les fesses en l'air.

Je passe une corde autour de son buste, serre la carcasse jusqu'à ce qu'il me montre son mécontentement, puis l'attache. J'attrape ses chevilles l'une après l'autre et les entrave. Je me dirige vers mon armoire et prends un fouet, ainsi qu'un sex toy surdimensionné. Prenant le manche en bois, je fais courir les lanières sur mon poignet. Le contact du cuir sur ma peau m'électrise, ma prise se raffermit et mon bras se soulève. La descente est rapide et violente sur l'épiderme du mollusque attaché. Des stries rouges laissées derrière le premier impact me plaisent. J'aime ce que j'observe, je recommence à plusieurs reprises, mon but étant de créer un motif abstrait.

J'ai une âme d'artiste, voyons !

Balançant avec fracas le fouet sur la table en alu, le bruit fait sursauter le déchet ambulant. J'attrape le gode d'une main et de l'autre je remonte la tête de Roberto afin qu'il puisse admirer l'engin. Digne copie d'un pénis de cheval, l'effroi se lit sur son faciès. Visiblement, il n'a pas très envie de se faire sodomiser par un étalon ! Petite nature ! Je vais m'éclater, je le sens.

Une idée me vient comme un éclair de génie. Il n'a sûrement jamais mis une bite dans sa bouche, c'est l'occasion pour lui de faire cette expérience. Je suis d'humeur généreuse, je vais offrir à ce bon vieux Roberto plusieurs premières fois aujourd'hui. Retirant le bâillon, je présente le latex devant ses lèvres, mais il secoue la tête en signe de refus et les serre pour empêcher l'introduction. Prenant ses joues d'une main, je perce la peau avec mes ongles et appuie jusqu'à ce qu'il ouvre pour essayer de diminuer la douleur. C'est ce que j'attendais pour pousser le pénis jusqu'au fond de sa gorge.

Un haut-le-cœur le prend d'un coup, visiblement il ne pensait pas vivre ça un jour, je répète l'opération à plusieurs reprises. Le flux gastrique sort comme un geyser. J'éclate de rire en le voyant faire. Quel connard ! Ne lui laissant pas le temps de réagir, je prends discrètement un écarteur dans l'armoire et le positionne de façon à accéder à son anus sans qu'il puisse serrer les fesses. J'enfonce d'un coup l'instrument lubrifié par sa salive et lui défonce le cul. Il hurle à plein poumon. Quand je vois la taille du truc, je compatirais presque, mais en fait non. Il mérite ce qui lui arrive. Du sang s'écoule de son anus, c'est un viol bien réussi, mais en y allant aussi fort, j'ai sûrement déchiré quelque chose à l'intérieur, alors avant que la faucheuse vienne le chercher, j'attrape mon téléphone pour appeler un de mes hommes de main. Je me place devant mon invité, j'attends qu'il pose son regard effrayé dans le mien. Puis, je lui souris avec moquerie avant de commencer à parler.

— Lorenzo ! Comment vas-tu ?

— Bonsoir patronne, ça ne va pas trop mal et vous ?

— Parfaitement bien, je te remercie. Dis-moi, je me demandais, est-ce que Gus et Max ont déjà dîné ?

— Non pas depuis quelques jours, pourquoi ? Vous souhaitez leur offrir le repas ?

— C'est exactement ça, je leur dois bien ça, avec tous les services qu'ils m'ont rendus. Je peux le déposer d'ici cinq minutes ?

— Pas de souci, on vous attend.

— Parfait, envoie-moi Dancan et Troy pour le transport.

— Tout de suite, Patronne.

Je regarde Roberto avec mépris, mais mon ego est ravi en pensant à la suite des événements. Je lui fais un rapide bandage pour éviter qu'il me salope le sol avec son sang impur de pêcheur. Une chose est sûre, mon invité va être surpris. Quand mes deux employés arrivent dans ma salle de torture, je leur fais signe de détacher l'amas de chair ensanglanté qu'est Roberto et de me suivre.

— Je vous fais visiter ? Il y a un endroit que je souhaite vous montrer, c'est très amical, vous allez voir.

Nous sortons de la pièce et prenons les escaliers qui mènent à la cave. Lorenzo nous attend devant la porte qui m'intéresse et me salue poliment quand je suis devant lui.

— Ils sont prêts ?

— Oui, madame, ils sont en position.

— Très bien, entrons dans ce cas.

Le grincement des charnières de la porte en bois fait sursauter ce cher Roberto, tout son corps transpire la peur. En observant l'intérieur de la pièce, je suis satisfaite de ce que je vois. Me décalant afin que permettre à mon « *invité* » de comprendre ce qui me réjouis, je suis enchantée d'observer se dépeindre la terreur sur son visage. Gus et Max sont sagement assis dans la cage et attendent les ordres de Lorenzo. Je lui fais un signe de tête afin de lui demander d'ouvrir la porte de la geôle.

— *Messieurs, veuillez installer Roberto avec nos amis. Retirez-lui son bâillon.*

— *Bien, madame.*

Mes hommes balancent mon invité dans la cellule. La peur a pour effet de figer sur place celui-ci, impossible pour lui de bouger d'un centimètre.

Il est vrai que Gus et Max sont impressionnants bien qu'ils n'aient pas encore déplacé un seul muscle de leurs corps.

— Lorenzo, ferme cette porte s'il te plaît. Laissons nos amis faire connaissance.

— Très bien, Patronne.

Après avoir fermé le battant à clé, ce qui empêche mon souffre-douleur de s'échapper, Lorenzo attend patiemment mes instructions. Je lui fais un signe de la main afin de l'inviter à lancer les hostilités.

— Gus, Max, le repas est servi. À table !

En un battement de cils, les deux molosses sautent gueules ouvertes sur le pauvre Roberto qui n'a pas le temps de bouger. Les deux rottweilers attaquent leurs repas en mordant la gorge, le visage, le ventre ainsi que les bras et les jambes. Les grognements mélangés aux hurlements de douleur sont une magnifique mélodie à mes oreilles. La mort de ce fumier fut brutale, j'ai rempli le contrat. Je prends une photo du cadavre pour prouver qu'il est bien décédé. Mon service informatique l'enverra aux clients, une fois ouverte, elle s'auto détruira afin de ne laisser aucune trace.

Je repars en direction de ma salle de jeux pour prendre une douche bien méritée et rejoins mon mari qui doit être rentré de sa soirée. Mon équipe de nettoyage va pouvoir ranger et effacer toutes les preuves de ma nuit mouvementée.

Chapitre 5

C'est fatiguée, mais heureuse que je reprends le tunnel, car je sais que je vais retrouver mon homme pour le restant de ma soirée. J'aime me faire câliner par lui et ressentir tout l'amour qu'il me porte. Malgré nos métiers peu conventionnels qui nous prennent beaucoup de temps, nous arrivons à rester un couple fusionnel.

En montant les escaliers qui partent de la cave jusqu'au rez-de-chaussée, une délicieuse odeur de rose fraîche s'insinue dans mes narines. Sur le haut des marches, mon adorable mari a déposé sur le carrelage des pétales de fleurs rouges ainsi que des bougies qui forment un chemin. Étant très curieuse de découvrir la soirée qu'il m'a préparée, je décide de ne pas perdre de temps et de suivre le tapis carmin déposé sur le sol.

Ce petit coquin n'a pas fait que me donner la direction à suivre pour le rejoindre, non, il a également laissé des petits cadeaux. Un petit ourson en peluche m'attend bien sagement sur son lit de pétales. En me penchant pour le prendre dans les mains, je découvre une enveloppe posée entre ses bras. Installant le nounours entre ma poitrine et mon épaule, je la décachette et lis le mot qui est glissé à l'intérieur à voix haute.

« Enlève tes chaussures et continue de suivre la piste qui te mène jusqu'à moi. »

Je fais ce qu'il me dit de faire, l'excitation grandit de plus en plus avec ce jeu de piste. Une fois arrivée au bout du couloir, je tourne à gauche comme indiqué par le chemin grenat et découvre un ballon rouge en forme de cœur qui touche le plafond. Une ficelle est accrochée au nœud de celui-ci, tandis qu'à l'autre extrémité, une petite pince crocodile maintient un pli sur lequel un nouveau message m'attend.

« Enlève tes vêtements, ne garde que tes diaboliques dessous sexy ! »

Ah ! Je le reconnais bien là, j'aime son côté dominant. Il ne va pas être déçu du voyage. Je porte mon ensemble noir en satin, le soutien-gorge pigeonnant met en valeur mon opulente poitrine tandis que mon tanga avantage grandement mes fesses qu'il trouve magnifiques. Comme je me doute qu'il suit mon avancée à l'aide des caméras, je décide de lui faire un effeuillage pour faire grimper sa température et gonfler son sexe. Une danse sexy finit mon petit spectacle, alors que je fredonne une chanson pour me mettre dans l'ambiance. J'aime mon corps même si ça peut me faire passer pour une fille superficielle, je m'en cogne. J'ai de quoi être fière. Mes formes généreuses sont en adéquation avec le reste de mon physique, je suis musclée, mais pas trop, tout en restant féminine.

Je l'ai soigneusement et longuement sculpté en pratiquant toutes sortes de sports pendant des années, chaque jour et ce durant des heures jusqu'à ce que je m'écroule d'épuisement. Je suis obligée d'avoir cette rigueur pour exercer mon métier et pour pouvoir contenir mes cibles.

Une musique se met en route dès que mon dernier vêtement touche le sol, mon regard se fixe sur le haut du mur qui fait l'angle du couloir. La lumière rouge qui clignote m'indique que la caméra est en route. Je me doute bien que mon cher et tendre mari m'observe en ce moment même pour suivre en temps réel mon avancée qui me mènera jusqu'à lui. Son petit jeu m'amuse énormément, mais pas seulement. Une excitation grandit en moi, car je me demande ce qu'il a préparé pour la suite de cette soirée en amoureux. En lançant un sourire tentateur à l'objectif, je poursuis mon chemin.

Le rythme de la chanson me met en émoi tout comme la voix rocailleuse de l'interprète me donne des frissons de plaisir anticipé. En arrivant au pas de la porte de la salle de bains, je m'arrête, aucun bruit ne me parvient aux oreilles, alors j'observe l'intérieur. Le spectacle qui m'attend est très agréable. Un tapis de pétales de roses continue à m'indiquer où je dois aller, l'odeur qui se dégage de la pièce humide s'insinue dans mes narines. Faisant naviguer mes iris dans la salle, je me rends compte qu'il m'a préparé un bain moussant, agrémenté des mêmes pétales qui jonchent le sol. Des bougies sont parsemées dans chaque coin ainsi que sur le meuble double vasques et tout autour de la baignoire. Mon mari se trouve à côté de celle-ci avec deux coupes de champagne entre les mains. Il m'en tend une, puis avec son bras qui maintenant est libre, m'attire contre sa poitrine afin de m'embrasser férocement. Je lui rends son baiser avec hargne et passion. Il m'a tant manqué ces dernières heures. Étant parti cette nuit pour un voyage d'affaires à quelques heures de chez nous, je n'ai pas pu profiter de son corps et de sa présence ce matin ni dans la journée.

— Bonsoir, mon amour, tu m'as manqué ! me murmure-t-il.

— Humm toi aussi, ronronné-je.

— Alors, embrasse-moi encore ! m'ordonne-t-il en me serrant encore plus près de lui.

— Oui, chef, avec plaisir !

Notre langoureux baiser s'interrompt après ce qui me semble avoir duré une éternité. Le besoin de reprendre notre souffle a forcé l'arrêt momentané de notre démonstration d'amour. La respiration haletante, les joues rouges et le désir dans nos regards respectifs nous font sourire. Ayant besoin de me désaltérer un peu, je bois une gorgée de ce délicieux champagne frais. Mon adorable mari porte à mes lèvres une fraise qui se trouve dans une assiette que Tyron a pris soin de cacher à ma vue. Dès que je croque dedans, le goût divin ainsi que le jus qui s'en échappe dans ma bouche, me font émettre une exclamation de bonheur tellement elle est goûteuse et sucrée.

Après avoir avalé le fruit, je passe mes bras autour de son cou et l'embrasse délicatement sur les lèvres avant de passer ma langue sur celle-ci. Cette demande explicite et douce lui fait comprendre ce que je veux. Il accède donc à ma requête silencieuse en me donnant accès à sa langue afin de profiter tous les deux du parfum de cette fraise dans une sensuelle danse buccale. Profitant du moment, il me fait reculer jusqu'à ce que mon dos entre en contact avec le mur. Accentuant notre baiser, Tyron fait monter ses doigts délicatement sur mes flancs, effleurant ma poitrine bombée puis caresse doucement l'arrondi de mes épaules. Décrivant des cercles sur ma peau, il fait descendre ses mains à l'arrière de mon dos et dégrafe mon soutien-gorge. Le frôlement du tissu sur mon épiderme me fait frissonner et m'excite d'autant plus. Tyron se recule d'un pas, puis déboutonne sa chemise en soie noire ainsi que son jean bleu. Me lançant un regard coquin, ce petit allumeur retire doucement ses vêtements. En observant de plus près ses gestes, je m'aperçois qu'il ne porte pas de boxer. Léchant sensuellement ma lèvre inférieure, je le vois perdre son self-contrôle et s'approcher de moi tel un prédateur s'apprêtant à sauter sur sa proie. Il me soulève avec la force de ses bras et me serre contre son torse avec brutalité, je m'accroche à lui en entourant mes mains sur son cou et mes jambes à sa taille musclée. Il m'embrasse avec bestialité et me fait entrer en contact avec la porte sur laquelle il m'appuie. D'un geste arrogant, Monsieur Tyron, se la joue dominant et m'arrache mon tanga brusquement. L'excitation qui circule déjà dans mes veines, s'en retrouve décuplée après cet acte extrêmement sauvage et délicieusement sexy. Dire que je suis aussi chaude que la braise est un euphémisme ! Je me perds dans son regard bleu azur que son teint hâlé fait ressortir. J'aime passer mes mains sur chaque centimètre de cette magnifique peau musclée à la perfection grâce aux entraînements qu'il fait chaque jour. Je repousse ses cheveux désordonnés en arrière pour leur redonner un semblant de coupe. Ce mec est trop sexy et devrait être livré avec un panneau « attention, danger pour vos petites culottes » autour de son cou. J'arrête de baver et reprends, là où on en était. Je n'en peux plus, je suis trop chaude alors je me trémousse et frotte mon clitoris contre son sexe tendu dans ma direction. Les grognements qui sortent de sa gorge m'indiquent qu'il apprécie grandement cette initiative. Continuant mon manège et aidée par les coups de reins qu'il me donne en réponse, ma jouissance me prend par surprise, ce qui déclenche la sienne. Reprenant notre souffle et nos esprits, Tyron se dirige vers la baignoire encore fumante. Il se place dedans, le dos contre la paroi et me fait m'installer entre ses jambes. Nous nous lavons mutuellement et une chose en entraînant une autre, nous finissons par avoir un second orgasme. Ensuite il me caresse délicatement les bras pendant que nous discutons de notre journée. Quand l'eau se refroidit, nous décidons qu'il est temps de sortir. Mon mari étant un gentleman, en dehors de nos moments charnels, m'aide à m'essuyer et brosse mes cheveux après les avoir séchés. Après un passage rapide par la cuisine pour manger un morceau, nous nous dirigeons vers notre chambre afin de nous coucher. Il m'embrasse tendrement puis se positionne comme d'habitude, son torse contre mon dos, me tenant serrée contre lui. Nous nous endormons rapidement.

Chapitre 6

Lorsque je sors d'un rendez-vous avec une femme venue pour préparer l'enterrement de son défunt époux, j'ai l'agréable surprise de voir mon mari qui m'attend. En repensant à notre nuit d'amour d'il y a à peine quelques heures, un sourire se dessine sur mon visage. Je raccompagne la veuve jusqu'à la sortie, puis rejoins Tyron dans mon bureau. Dès que j'entre dans la pièce, il me saute dessus tout en refermant la porte avec son pied. Le baiser qu'il me donne m'émoustille et fait monter ma température corporelle de plusieurs degrés. Après plusieurs délicieuses minutes de passion, nous nous séparons le souffle court. Je lui lance un regard langoureux, ce qui le fait rire.

— Pas de ça jeune fille, tu as du travail et moi je suis venu te dire au revoir, lâche-t-il avec regret.

— Comment ça « au revoir » ? C'est quoi cette histoire ? le questionné-je, ne comprenant pas ce changement soudain d'emploi du temps.

— J'ai une réunion demain à New York qui n'était pas prévue, mon avion décolle dans trois heures. Je suis désolé ma douce, mais il faut que j'y aille sinon je vais perdre un gros client que Giovani ne manquera pas de me piquer.

— Ce fumier d'italien ! Fais attention à toi, je ne le sens pas ce type. Et d'ailleurs, pourquoi ce rendez-vous si soudain ? C'est étrange, non ?

— Il y a eu un différend qui s'avère problématique pour la pègre là-bas, une guerre est en préparation. Je dois donc négocier avec ces types pour vendre le plus possible, mais aussi me faire un max de pognon. Ne t'inquiète pas, mes hommes me protégeront s'il y a un problème, mais tout va bien se passer, tente-t-il de me rassurer même si je vois bien qu'il n'est pas totalement serein.

— Très bien, je te fais confiance, reviens moi vite. On a un bébé à mettre en route.

— Je serai de retour dans deux jours. Promis, je vais te baiser jusqu'à ce que tu n'en puisses plus et qu'un enfant prenne vie dans ton magnifique ventre !

— J'y compte bien ! Allez file, avant de manquer ton vol.

Il me prend dans ses bras et m'embrasse avec férocité puis quitte mes lèvres pour descendre dans mon cou, me bécote cet endroit que j'adore tant. Respirant mon parfum une dernière fois, il relève la tête, me fait un chaste baiser, me dit « *Je t'aime* » puis quitte la pièce. Je n'ai pas le temps de lui répondre qu'il n'est déjà plus là.

Je reprends ma journée de travail, mais en parallèle, je demande à mes hommes d'aller chercher ma prochaine victime. Je n'aime pas être seule le soir à la maison, je m'ennuie, donc autant faire passer le temps en m'amusant. Quelques heures plus tard, je reçois un message qui me redonne le sourire.

— Le paquet a été livré et vous attend.

— Parfait, gardez-le bien au chaud.

J'ai passé le reste de la journée dans l'anticipation de ma soirée détente. En fin d'après-midi, peu avant la fermeture de mon magasin, j'ai reçu l'appel que j'ai toujours redouté de recevoir. La police nous a contactés pour enlever les petits corps chétifs de deux bambins de deux et quatre ans. Un infanticide commis par le père de famille. Des informations que j'ai réussi à glaner auprès d'un agent que je connais depuis un moment suite aux nombreuses affaires que nous avons traitées ensemble.

La raison de cet acte horrible ?

Un mari jaloux de l'attention que sa femme donne à ses enfants en bas âge, alors pour se venger et donner une leçon à son épouse, il n'a pas trouvé mieux que de la faire souffrir. Il s'en est vanté durant sa garde à vue, cette ordure était fière de lui.

La pauvre femme se retrouve aux urgences en piteux état, fracture du crâne, côtes cassées, lésions et brûlures au niveau du cou, des poignets et des chevilles en plus du traumatisme psychique. Le mari a pété un câble en voyant sa femme jouer et rire avec ses enfants. Il l'a frappée jusqu'à ce qu'elle perde connaissance, quand cette pauvre dame a repris ses esprits, elle était attachée avec des cordes rêches à une chaise. Quand il a été sûr que son attention se portait sur ses petits, le salaud les a poignardés devant la mère désespérée de ne rien pouvoir faire pour sauver ses anges adorés. Les cris ont été tellement déchirants que les voisins habitués aux disputes du couple, ont immédiatement appelé la police qui a découvert la scène macabre et la femme inanimée.

La rage bouillonne tellement dans mes veines que je sais que celle-ci va devoir sortir de mon corps. L'homme qui m'attend dans ma salle de torture va souffrir. Il faut que j'évacue cette haine, comme je ne peux pas me défouler sur le père de ces petits bambins, je vais donc m'imaginer que c'est lui qui sera entre mes griffes dans quelques heures.

En arrivant à mon domicile, je ne perds pas de temps et me dirige vers ma chambre pour me changer. La douche sera pour plus tard, de toute façon, vu ce que j'ai prévu de faire, je sais que je vais me salir. J'envoie un message au garde qui surveille ma cible du jour, pour qu'il me le positionne avec des menottes sur le crochet fixé au plafond de ma salle de jeux. J'ordonne également qu'il attache chaque cheville avec une corde aux anneaux ancrés au sol pour être sûre qu'il ne puisse pas se défendre et bouger. Une fois prête, je dévale les marches et m'oriente vers la cave pour accomplir ma tâche. Ce connard va avoir droit à sa punition définitive qui va le mener à son dernier voyage et saluer la faucheuse.

J'entre dans la pièce en faisant claquer la porte contre le mur puis la referme tout aussi fortement. Mon entrée musclée fait sursauter le mollusque lié à mon crochet à défaut de son rocher.

Oui, j'aime l'humour glauque !

Le cafard complètement nu comme un ver est tellement terrorisé qu'il se pisse dessus, c'était prévisible, ils sont tous pareils. Je m'approche de lui et retire le tissu qui obstrue sa bouche, j'ai envie d'entendre les hurlements de ce mec. Ils vont me donner de l'entrain pour cette nuit de pur délice. J'aime voir la terreur chez les gens quand ils comprennent que je suis le bras droit de Lucifer en personne et qu'ils tremblent comme des feuilles en plein vent.

J'attrape le fouet à neuf queues et le contourne pour attaquer directement sans lui dire un mot. Il a croisé mon regard meurtrier et s'est mis à convulser de peur de la tête aux pieds. La compréhension de ce qui va lui arriver a été immédiate en voyant la haine au fond de mes yeux. Je le frappe sans m'arrêter pendant quelques minutes, à bout de souffle, et une douleur foudroyante dans les bras, je m'accorde une pause pour m'hydrater. Durant ce temps, j'observe mon œuvre avec fierté. Son dos est lacéré de toute part, le sang s'écoule le long de son corps nu, telle une œuvre d'art, les sillons et les coulures s'apaisent et me transportent dans un autre monde.

Je reviens à moi, quand je perçois les sons qui sortent difficilement de sa gorge. Il faut dire qu'il a crié aussi longtemps que ses cordes vocales le lui ont permis avant de rendre les armes. Je m'empare d'un couteau cranté avec une lame de quinze centimètres et me rapproche de lui. Ne perdant pas de temps, je le poignarde dans les flancs, le ventre et les cuisses de façon psychotique et sans relâche évitant les points vitaux. La vitesse et les trajectoires aléatoires me repeignent le visage, les bras ainsi que mes vêtements qui recouvrent le reste de mon corps. Le voyant à la limite de rendre son dernier souffle, je lui inflige le coup fatal en attrapant la tignasse qui lui sert de chevelure et lui tranche la gorge en regardant la vie quitter ses yeux. En voyant son âme noire quitter ses prunelles, je ressens une paix intérieure. J'ai libéré la bête en moi pour que le monde dans lequel je vis soit plus sûr. Il a payé pour ses crimes et moi je suis détendue et calme. Je vais pouvoir dormir comme un bébé en le sachant hors d'état de nuire.

J'appelle un de mes hommes pour qu'il photographie le cadavre, l'envoie à mon client puis, il devra faire disparaître la dépouille. Je fais également venir mon équipe de nettoyage. En observant l'état des lieux, je sais qu'elle va en avoir pour des heures à remettre la pièce en ordre et faire effacer le sang qui a éclaboussé partout. Je quitte l'endroit souillé pour rejoindre ma chambre et prendre une longue douche bien méritée. C'est sans nouvelles de Tyron que je m'endors.

Chapitre 7

En me réveillant le lendemain matin, je pressens qu'il y a un problème. Je prends mon téléphone portable en main. Hier soir, je n'ai pas réussi à joindre Tyron, il ne m'a pas rappelée, ni envoyé de message depuis qu'il est censé avoir atterri à New York. Ce n'est pas son genre, il me donne toujours des nouvelles, tout au long de sa journée pour éviter que je m'inquiète inutilement de sa sécurité.

Ayant besoin de réponses à mes questions, je fonce dans mon bureau et allume mon ordinateur pour effectuer une recherche GPS de son portable. Pendant la recherche, j'observe ce petit rond qui tourne encore et encore jusqu'à ce qu'il trouve et localise le mobile de Tyron. En affinant celle-ci, le logiciel m'indique que mon mari — ou tout du moins son téléphone —, n'a pas bougé depuis des heures sur une route de campagne, éloignée de la ville. Comprenant qu'il se passe quelque chose de pas net, j'appelle mon équipe de recherche. Je veux qu'ils se renseignent sur les déplacements et les interactions que Tyron a eues, mais surtout avec qui. Il faut également pirater les bases informatiques des polices environnantes pour voir s'ils ont eu cette nuit des traces de Tyron dans leurs fichiers.

Je sens au fond de mon cœur qu'il est arrivé un truc, je ne sais pas comment l'expliquer, comme s'il était déjà parti.

Mes tripes me le crient, il n'est plus là.

J'espère au plus profond de mon cœur me tromper et recevoir un appel de sa part. Je fixe mon téléphone et l'implore silencieusement de sonner en affichant « *amour* » sur l'écran. Mes yeux restent fixés sur l'appareil qui reste désespérément muet. Mes yeux commencent à se gorger d'eau, mais je me force à les ravaler. Tant qu'on ne m'annonce pas sa mort, je dois continuer de garder la tête haute, pour lui.

Je leur ordonne de regarder les chaînes d'informations pour voir si elles parlent de meurtres de masse ou de morts suspectes jusqu'à ce que je sache ce qu'il lui est arrivé. N'étant pas dans le même pays que Tyron ça va être compliqué de trouver une quelconque réponse. Ce qui me ronge le plus, c'est que je ne peux pas le joindre et ça m'angoisse. La journée va être longue et stressante jusqu'à ce qu'on m'explique ce qu'il se passe. Je suis anxieuse, le moindre son de sonnerie de téléphone me fait sursauter, une boule d'angoisse s'est formée dans ma gorge. Je crains que mes hommes ne me confirment ce qu'au fond de moi, je sais déjà. Pour me changer les idées, je me connecte sur le darknet. Je suis surprise de voir que j'ai un long message vocal de mon homme. J'ai comme le pressentiment que c'est la dernière fois que j'entends sa voix de son vivant, j'appréhende que ce soit son ultime communication avec moi. Il ne me contacte jamais de cette façon-là, sauf s'il y a un problème et qu'il ne souhaite laisser aucune trace. J'ai beau être une femme forte et pour ainsi dire, une personne sans cœur, mais quand il s'agit de Tyron, mon palpitant s'accélère toujours de façon désordonnée. De toute mon âme, j'espère qu'il va bien et que c'est juste un problème mineur qui l'empêche de me contacter afin de me permettre de rester en sécurité et qu'il me reviendra bientôt. Je me dois de rester optimiste au maximum même si je sais que c'est peu probable. Après tout, nous ne vivons pas au pays des bisounours, loin de là.

Pourquoi est-il parti si loin de moi ?

N'osant pas enclencher le message pour comprendre ce qui est arrivé à mon mari, je me lève de ma chaise et observe ce qu'il se passe dans la rue. Tremblant de la tête aux pieds, l'humidité commence à inonder mes yeux, je souffle un grand coup pour me donner du courage. Je me force à retourner à ma place après avoir fermé ma porte à clé. Je prends en main ma souris et dirige le pointeur sur le logo « *lecture* » pour lancer l'enregistrement.

— Ma douce Célia, je suis tellement désolé. Je t'ai toujours promis de prendre soin de toi, de te protéger et de fonder notre famille.

Malheureusement, je ne serai plus là pour le faire. Ces fumiers de Russes et ce bâtard de Giovani m'ont tendu un piège pour m'éliminer. Je ne vais pas pouvoir te parler longtemps, ils me collent au train sur une route de campagne et nous tirent dessus. Mes deux équipes de protection ont été liquidées, il ne reste plus que mon chauffeur et mon second avec moi. Soyons réalistes, nous sommes trois et eux ont trois véhicules pleins d'hommes armés jusqu'aux dents. Bordel ! Ils viennent de péter le pare-brise arrière, ces connards. Désolé chérie, il me reste peu de temps. Je ne veux pas que tu te venges de ces mecs, c'est trop dangereux. Ils ignorent ton identité et je souhaite que ça reste ainsi. Pour ceux qui vivent dans notre monde, tu es connue par ton pseudo de tueuse. Nous nous sommes donné assez de mal pour cacher ton identité et pour notre union, j'ai pris un nom connu de personne enfin en toute logique. Donc mon amour, même si c'est dur pour toi, je t'en supplie reste dans l'ombre. Prends soin de toi et si tu rencontres un homme qui sera à ta hauteur, alors n'hésite pas à lui laisser une chance. Je ne te quitte pas, je reste à jamais dans ton cœur. Je t'aime tellement. Ah, une dernière chose, si tu souhaites vider ma pièce sécurisée, le code à taper sur le boîtier électronique c'est notre date de rencontre. N'oublie pas, reste éloignée de ces types.

Les larmes de douleur et de désespoir dévalent le long de mes joues. Ces ordures ont tué mon mari, j'ai bien entendu les crissements de pneus et les impacts de balles dans les vitres et la carrosserie de la voiture. Le message se finit par le bruit de tôle qui se fracasse avant que la ligne ne coupe. C'est le cœur déchiré que je relance une seconde fois le message. Je suis complètement masochiste de m'infliger ça, mais c'est plus fort que moi, j'ai besoin d'entendre sa voix une nouvelle fois. La fureur est présente de chacun des deux côtés de l'écran, pour lui comme pour moi. Tyron a eu beau parler fort pour couvrir tout ce vacarme, cela n'empêche pas que chaque coup de feu est enregistré dans ma mémoire à jamais. Je vais faire en sorte que chaque balle tirée sur lui sera rendue à ces enflures. Une haine incommensurable circule dans mes veines, je balance tout ce qui est à ma portée. Je hurle toute la rage qui est en moi, en déversant un torrent de larmes. Je m'effondre sur mes genoux et me tire les cheveux pour tenter de faire sortir ma souffrance et reprendre pied dans la réalité.

Le message funeste tourne sans relâche dans ma tête, mon cœur est brisé en mille morceaux. Je sais qu'il me sera impossible d'oublier cette douleur. Je sors de ma torpeur quand mon téléphone sonne, m'informant de l'arrivée d'un message. En voyant l'identité de l'expéditeur, je me force à essuyer les perles d'eau qui maculent mon visage et de me racler la gorge avant de lire le message d'Arthuro, le chef de mon équipe informatique.

[Pouvez-vous venir au QG afin que je vous montre le résultat de nos recherches ? Je préfère tout vous remettre en main propre, on ne sait jamais.]

Arthuro ne sort jamais du bâtiment dans lequel il travaille et qui lui sert également de lieu de vie. Il est du genre discret sur ce qui concerne sa sphère privée, même si je pense savoir qu'il est préférable pour sa sécurité qu'il ne mette pas un orteil dehors. Je me doute que s'il me demande de me déplacer, c'est que rien de bon ne va ressortir de notre rendez-vous. Après tout, toutes nos équipes sont en contact téléphonique chaque jour, c'est une des prérogatives que nous avons mises en place pour être sûrs que nous allons bien quand nous sommes en déplacement professionnel. Je sais déjà qu'il a la preuve du décès de mon époux, mais s'il a des identités à me donner sur les auteurs de ce crime, je suis preneuse. Tyron me demande de ne rien faire pour le venger, mais il n'en est pas question. Ils ont tué mon mari et ne vont pas s'en tirer à si bon compte, oh non !

Hors de question !

Je referme mon ordinateur portable, le range dans ma sacoche puis quitte mon bureau. Je préviens Maélia, ma secrétaire, que j'ai une urgence familiale et cours jusqu'à ma voiture pour rejoindre Arthuro. Je n'ai jamais roulé aussi vite pour avoir des informations, normalement tout m'est envoyé par mail sécurisé, là c'est différent, il s'agit de l'homme de ma vie.

Quand j'arrive devant son repaire, je coupe le moteur de ma voiture et prends une minute pour me calmer. Les émotions se bousculent dans mon corps, ma tête et mon cœur. Essayant de stopper les tremblements et de refouler les larmes qui menacent de sortir, je souffle un grand coup, puis sors de mon véhicule. Quand je m'approche de la porte et de l'interphone, je lève mon bras pour prévenir de ma présence, mais avant même que je ne puisse appuyer dessus, l'ouverture électronique se déclenche. Je pousse le battant et entre. D'un pas déterminé, je me dirige vers le bureau d'Arthuro et prends place sur la chaise mise à disposition pour les visiteurs. Quand il vient s'installer, je croise son regard, qui m'a paru triste un quart de seconde, avant de voir apparaître une féroce détermination au fond de ses iris sombres comme à son habitude.

— Patronne ! me salue-t-il d'une voix retenant difficilement son anxiété.

— Arthuro ! réponds-je d'une voix dure et le regard franc.

— Je suis désolé pour la perte de votre mari. Sa mort est bel et bien confirmée, j'en suis navré, me dit-il nerveusement.

— Allons à l'essentiel, veux-tu ? Je ne veux pas de ta pitié, seules les informations que tu as réussi à recueillir m'intéressent.

— Très bien, c'est vous qui décidez. Sachez juste que je comprends votre peine, car dans cette affaire, j'ai perdu mon cousin également. Donc on va tout faire pour découvrir qui est derrière ce traquenard et qui a tué les personnes qu'on aime, rugit-il.

— Excuse-moi Arthuro, je ne pense qu'à ma tristesse au point d'en oublier celle des autres qui ont perdu un être cher cette nuit. Ton cousin faisait partie de la garde rapprochée de Tyron, il l'estimait beaucoup. Je te promets qu'ils vont payer pour ça et au prix fort. Écoute, j'ai besoin de toi. Je veux que tu me trouves l'identité de chaque personne présente ce soir-là et que tu te renseignes sur elles, leurs familles, quelles places ces connards ont dans l'organisation de la tuerie et en dehors. J'entends par là, l'organigramme des clans russes et italiens, car je sais que c'est eux qui ont tout prémédité.

— Comment êtes-vous au courant ? Je l'ai appris juste avant de vous appeler.

— Avant de mourir, Tyron m'a laissé un message vocal sur ma messagerie sécurisée pendant qu'ils essayaient de fuir ces fils de putes durant une course poursuite. Ça a coupé lors de l'impact que je suppose fatal. J'ai compris ce qu'il en retournait quand tu m'as contactée, ça a confirmé mes pires craintes, sinon tu m'aurais dit qu'il allait bien.

— Boss… me regarde tristement Arthuro.

— Non ! dis-je, la voix nouée. Je veux juste savoir qui était là et leur faire payer, eux et leurs familles. Œil pour œil, dent pour dent !

Chapitre 8

Je rentre chez moi dans un état second, j'oscille entre rage et détresse, à tel point que mon corps ne fait que trembler de toute part. De l'amour à la haine, il n'y a qu'un pas et en ce moment même, je ne sais pas quel sentiment prédomine l'autre. J'en veux à Tyron de s'être fait avoir par ces salopards, d'être parti dans un autre monde que le mien, de m'avoir laissée seule avec cette peine immense qui a complètement recouvert mon cœur. Cet organe de merde qui s'est brisé en même temps que la tôle de la voiture dans laquelle se trouvait l'homme de ma vie en mourant. D'un autre côté, Tyron était mon âme sœur, celui avec qui j'avais réussi à trouver un équilibre, il m'acceptait telle que je suis. Pas besoin de cacher ma vraie nature, bien au contraire, il me soutenait à cent pour cent dans ma démarche meurtrière. Putain, on avait tout pour être heureux : l'amour, l'argent, un métier qui nous comblait. Le pire dans tout ça, c'est que nos projets de famille ne se concrétiseront jamais.

En montant les escaliers pour aller dans ce qui était notre chambre, je reste le regard baissé. Je n'ai pas la force de regarder les photos de notre couple qui sont accrochées sur les murs. Tenant fermement la pochette cartonnée dans laquelle se trouvent tous les documents qu'Arthuro et son équipe ont réussi à récolter en quelques heures, j'entre dans mon bureau. Je ne me sens pas capable de pénétrer dans notre cocon, sentir l'odeur de son parfum, voir ses vêtements éparpillés sur le fauteuil de son côté du lit me fait monter les larmes aux yeux. Je me dois d'être forte pour lui, pour le venger. Une montée de rage traverse mes veines quand je saisis la poignée de la porte, d'un pas décidé je contourne mon bureau pour m'installer sur mon siège molletonné. Je pose durement la pochette puis l'ouvre. Un rapport de police, des photos de la voiture encastrée dans un poteau et criblée d'impacts de balles ainsi qu'une clé USB sont désormais entre mes mains tremblantes. Arthuro m'a déconseillé de regarder ce qu'il se trouve sur cette dernière. Ses mots me reviennent en mémoire, « *ce n'est pas bon pour vous de visualiser ça, boss* » je comprends bien que ça ne doit pas être beau à voir, mais je me dois de tout visionner et savoir. Pour Tyron.

Je prends une liasse épaisse de documents. Je mets de côté la vidéo, je ne suis pas prête à la regarder pour le moment, je la garde pour la fin. Commencer par l'enquête faite par les officiers me paraît être la meilleure chose à faire. Comme ça s'est passé aux États-Unis, je suis contente de parler cinq langues : anglais, russe, italien, arabe et français, ce qui me facilite grandement pour découvrir ce qu'a enduré Tyron. Je lis chaque mot et par ce biais, je comprends le déroulement de la soirée de mon mari et de ses hommes. Ce que j'apprends me met en colère, car ces enfoirés ont tenté de les tuer dans un restaurant, puis n'ayant pas réussi à tous les éliminer, ils les ont pourchassés dans les rues de la ville. Ces sacs à merdes ont même tiré sur les passants en visant le véhicule de Tyron, rien ne les arrête ma parole ! La course poursuite s'est finie en dehors de New York, dans un poteau électrique, au bord d'un champ. La voiture comptabilise 126 impacts de balle, les corps des cinq occupants ont également été traversés de part en part par les projectiles. Des autopsies seront pratiquées pour déterminer ce qui les a tués, mais surtout quelles munitions afin de connaître les armes utilisées. Le ministère de la Justice compte retrouver les bandits qui ont agi de la sorte et les punir. Après tout, l'image de la ville est prioritaire, il se doit de rassurer les citoyens, des touristes qui ont été tués et des passants innocents qui ont été blessés, pour certains, mortellement tout de même.

Il va falloir que j'attende qu'ils finissent les autopsies des corps pour pouvoir les rapatrier et leur offrir un enterrement décent. Un emplacement dans les cimetières que les familles choisiront afin de pouvoir se recueillir sur la tombe de l'être aimé qui, malheureusement, les a quittés. Tous les frais seront à ma charge bien évidemment, c'est le moins que je puisse faire après tout, ces hommes ont risqué leur vie pour essayer de sauver celle de Tyron. Heureusement que je paie gracieusement certaines personnes pour m'aider à distance sur les tâches qui nécessitent que je reste discrète et loin de mes ennemis. Grâce à cet arrangement, la police a pu découvrir l'identité — choisie par les soins de mon mari — des personnes décédées dans le véhicule. Cela va m'aider pour la suite.

Je repose le document et attrape fébrilement la pile de photos. La première est prise de loin pour pouvoir visualiser la scène dans son ensemble. Ce que je vois me fait monter les larmes aux yeux, la voiture a visiblement fait des tonneaux avant de s'arrêter dans ce putain de poteau. La vitesse du véhicule devait être élevée, car quand je visualise la carcasse, je me doute bien que le choc a dû être violent. La carrosserie s'est presque entièrement entourée autour de ce qui était au départ, un long et épais morceau de bois.

Je referme mes mains en poings, en tordant le papier glacé et priant pour que Tyron et ses quatre hommes soient morts avant que la voiture ne se soit mise autour du poteau. Je n'ose imaginer la douleur ressentie lors de l'impact.

Non, ils étaient déjà partis dans un monde meilleur, il le faut !

Sur les clichés suivants, j'ai droit à la totale. Les images capturées ont été prises de plus près et sous tous les angles. La dernière est la pire, on y voit les corps décharnés, sanglants et troués de partout. Ils ne sont presque pas reconnaissables, mon pauvre Tyron tient encore son téléphone dans sa main. Il est cassé, mais toujours serré dans son poing. C'est comme s'il voulait me garder avec lui au moment où il a laissé sortir de sa bouche son dernier souffle qui a été couvert par le bruit de l'accident.

Comment peut-il me demander de ne rien faire pour le venger ? Merde ! Son habituelle morphologie de Dieu Grec, ne ressemble plus qu'à un pantin désarticulé, son visage d'ange est quant à lui en lambeaux, défiguré.

Ne pouvant en voir plus, je décide d'allumer mon ordinateur. Une fois la machine en marche, j'y insère la clé USB et lance la vidéo concoctée par Arthuro à partir des images de vidéo surveillance de la ville de New York et du restaurant. J'ai de la chance, les images sont de bonne qualité. On y voit dans un premier temps un homme grand d'environ un mètre quatre-vingt-cinq, suivi de deux mecs, entrer dans un restaurant chinois. Ce blond aux yeux clairs est sacrément bien bâti, de ce qu'on peut apercevoir malgré sa veste, ses muscles sont plus que bien dessinés. Une aura maléfique s'échappe de ses iris, tout dans son langage corporel indique qu'il est la cruauté incarnée. Les deux types qui le suivent semblent le craindre si j'en crois les regards qui se baissent quand le premier gars se retourne pour leur parler. Quelques secondes plus tard,

Tyron et ses hommes entrent dans le bâtiment. En observant l'heure d'arrivée, on peut voir qu'il était dix-neuf heures trente.

Cinq minutes plus tard, j'observe ce connard de Giovanni Flores franchir les portes, accompagné de son bras droit Massimo Costa. Il s'agit du concurrent direct de mon mari, un chef de la mafia italienne qui se croit meilleur que tout le monde. Je mets la vidéo sur pause afin de décrypter ce que je viens de visualiser. Un premier type, grand, blond, massif débarque et vu le regard craintif des gars qui l'accompagnent, je dirais qu'il s'agit d'un homme de main. Son comportement froid ainsi que ses caractéristiques physiques me font penser aux personnes venant des pays de l'Est, du genre de la Russie. Ensuite, juste après, les Italiens déboulent et ça, ça craint vraiment, mais bon, à voir s'ils ont des interactions quelconques ou pas.

Je relance le visionnage qui a été avancé de trente minutes, on y voit des clients sortir en courant, l'air apeuré. Je n'ai pas le son, mais en observant les comportements des personnes qui s'échappent des portes battantes et dévalent dans la rue, je comprends ce qu'il se passe. Des éclairs illuminent les fenêtres du restaurant de manière rapprochée comme les rafales du final d'un feu d'artifice malgré les lumières allumées de celui-ci. Cela ne peut signifier qu'une seule chose, des balles d'armes à feu ont été tirées. Plusieurs minutes s'écoulent avant de voir Tyron suivi de la moitié de ses hommes passer la porte, pistolet au poing et lançant des regards inquiets en arrière. Ensuite, Massimo et d'autres types, qui sortent de je ne sais où, courent à leur poursuite. J'ai la confirmation que le grand blond est dans le coup, car ses deux gorilles suivent le mouvement. Pas moins de quatre véhicules pourchassent celui de Tyron en forçant les voitures dans le sens opposé à se mettre en danger. Les images défilent et changent d'angles passant d'une caméra à l'autre. Ces débiles zigzaguent et roulent comme des tarés dans le but de cogner, puis stopper l'Audi RS de mon mari. Des échanges de tirs se font dans les rues de la ville qui ne dort jamais. Les piétons, ainsi que les autres usagers de la route, s'écartent rapidement et semblent horrifiés par la scène à laquelle ils assistent. La course poursuite continue sur plusieurs kilomètres, les citoyens de New York se couchent au son si caractéristique de la déflagration issue d'un coup de feu et des véhicules bloqués par les feux de signalisation se font défoncer par les voitures de Tyron et de ses assaillants. Je suis, rue après rue, leur parcours jusqu'à ce qu'ils sortent de la ville et que je perde leur trace.

Chapitre 9

À ma plus grande surprise, la vidéo revient au restaurant. On y voit le grand blond sourire et serrer fermement la main de Giovanni et Massimo. Le bras droit de l'italien semble très content de sa soirée, car il tient nonchalamment sa veste de costume par son index qu'il a remonté jusqu'à son épaule. Portant un tee-shirt noir, on peut y apercevoir ses nombreux tatouages qui recouvrent presque chaque parcelle de sa peau. C'est à ce moment-là que je comprends ce que ça implique. Ces connards ont orchestré la mort de mon mari pour s'associer.

La haine et la rage me font péter un plomb, mon bras longe la surface de mon bureau, envoyant par la même occasion l'ordinateur se fracasser contre le mur ainsi que les documents s'éparpiller sur le sol. Je hurle comme une démente toute la douleur qui me submerge telle de la lave expulsée de son volcan. Je frappe avec mes poings serrés la surface en bois du bureau, voyant que je n'arrive pas à la détruire, j'attrape la chaise en fer qui est habituellement là pour les visiteurs. Je l'envoie à plusieurs reprises sur le plateau qui finit par céder face aux impacts répétés. Je le finis, donnant de violents coups de pied, mais cela ne me suffit pas pour apaiser ma peine. Me défoulant comme une boxeuse dans un sac de frappes, je m'abîme les phalanges contre le mur rugueux en béton, puis hurle à pleins poumons toute la tristesse que la perte de Tyron m'inflige. Je suis tellement submergée par mes émotions que je ne ressens pas la douleur physique.

Les larmes coulent, dévalant mes joues comme un ruisseau qui déborde de son lit. Mon corps meurtri et fatigué tombe au sol tel un amas de muscles sans vie. Je ne résiste même pas. Une partie de moi a juste envie de crever pour le rejoindre, alors que l'autre se met à réfléchir à la façon de tous les faire disparaître de la pire façon. Je vais définitivement les éliminer, eux et leurs familles. Femmes, enfants, parents, TOUS ! Je n'en épargnerai pas un seul ! Je finis par m'endormir à force de pleurer, directement sur le carrelage.

Le reste de la nuit a été compliquée, après m'être réveillée une première fois décontenancée et endolorie, je me suis installée sur le canapé. J'ai oscillé entre un sommeil torturé et les hurlements de détresse en me rendant compte que je ne verrais plus jamais mon mari. Comment vais-je pouvoir continuer de vivre sans la partie la plus importante dont mon corps a besoin ? *Mon cœur*. Je l'ai donné à Tyron le jour où je lui ai avoué mes sentiments. Je suis morte de l'intérieur. La seule chose qui me fera tenir debout, c'est le plan machiavélique que je vais concocter pour faire payer les responsables de la disparition de mon âme-sœur. Peu importe le temps que ça prendra, ils vont souffrir, je m'en fais la promesse.

Je me lève difficilement de mon lit improvisé. C'est avec un mal de crâne du tonnerre et le corps douloureux, mais également raide que je tente d'avancer. Je jette un œil au bordel que j'ai mis hier soir. On pourrait croire que j'ai été victime d'un cambriolage tellement tout est en désordre. Me promettant de remettre tout en place en fin de journée, je me dirige vers ma chambre. En arrivant devant le montant de celle-ci, ma peau devient glacée. Cette pièce dans laquelle nous avons vécu tant de bons moments, mais aussi où nous nous sommes tellement aimés me terrifie. Maintenant, elle est vide de son odeur et perd de son attrait dans ma tête. Il va falloir que je me force à avancer, dans tous les sens du terme. Comment réussir mon plan, si je reste bloquée ainsi ? J'entre et fonce dans la salle de bain sans regarder quoi que ce soit en dehors de l'ouverture de celle-ci.

Une douche bien chaude m'aide à dénouer les tensions de mes muscles, je ferme les yeux et apprécie, juste la chaleur émise par le pommeau, ne pensant à rien d'autre ou plutôt me forçant à éviter d'admettre le décès de Tyron. J'ai assez pleuré pour une vie, enfin je suppose, que pour le moment j'ai épuisé le stock que mes canaux lacrymaux étaient capables de laisser couler. À la fin de mon décrassage, je me sèche, m'habille d'un débardeur en coton accompagné d'un legging, le tout de couleur noire, circonstances obligent. Me dirigeant vers la cuisine pour boire un café et avaler un comprimé pour mon mal de tête, j'attrape mon téléphone portable pour contacter ma secrétaire.

— Pompes funèbres, Clayton, Maélia, bonjour.

— Célia Clayton à l'appareil. Je vais avoir besoin de vous, Mr Clayton est décédé. J'ai appris cette triste nouvelle hier, je vous saurais gré de bien vouloir prendre en charge mes rendez-vous pour le reste de la semaine. Je vous laisse les rênes de l'entreprise pour quelques jours.

— Oh, mon dieu, je suis navrée d'apprendre une si mauvaise nouvelle. Mr Clayton, va nous manquer. Ne vous inquiétez pas, je vais gérer au mieux vos obligations. Prenez soin de vous, madame, et informez-moi de l'arrivée du corps, je m'occuperai de la paperasse.

— Je vous remercie de votre sollicitude. Bonne fin de journée Maélia.

— Merci et reposez-vous, Célia.

Je ne relève même pas le fait qu'elle se soit permise de m'appeler par mon prénom, c'est sans doute dû à l'émotion de l'annonce de la mort de

Tyron. Il était aimé de tous nos employés pour sa gentillesse. J'envoie un mail à Arthuro pour lui demander de n'omettre aucun élément qui pourrait m'intéresser sur mes ennemis, je veux tout savoir sur eux et rapidement. J'ai un plan d'action à organiser pour tous les buter, donc plus tôt j'aurai ces informations, plus vite je pourrai me préparer.

J'ai besoin de penser à autre chose, alors je me dirige vers ma salle de sport pour évacuer mon trop-plein de rage qui serpente dans mes veines. Un parcours de dix kilomètres sur mon tapis de course devrait être un bon échauffement. Ensuite, j'enchaînerai en tapant dans mon sac de frappe en faisant abstraction de mes blessures de la veille. Je me doute que je vais déguster un max, mais j'ai besoin de laisser partir une partie de ma colère et de ma peine. Pour finir, je ferai appel à mes hommes pour quelques combats à mains nues avec eux, si mon corps endolori me le permet.

Après plus de quatre heures intensives, je suis en nage, dégoulinante de sueur, mais surtout extrêmement fatiguée. Mon corps est épuisé, sans compter les douleurs dues à la première partie de ma nuit sur le sol dur du bureau. Je n'ai rien fait pour l'aider aujourd'hui. Me dirigeant vers les sanitaires qui jouxtent ma pièce de torture, je prends dans mon casier des vêtements propres et je vais dans la douche pour nettoyer ma peau collante.

Une légère collation pour calmer mon estomac qui crie famine et je pars me coucher. J'ai besoin de repos autant physique que psychologique. Cette terrible nouvelle m'a mise K.O émotionnellement. Je prends mon téléphone et lance une playlist de musique. C'est sur cette promesse que je m'endors pour rejoindre Tyron dans un monde où nous sommes seuls, amoureux et heureux. La musique que j'écoute a sûrement été écrite après une rupture, mais elle fait tellement écho à ma peine.

À cause de toi – Léa Castel

C'est comme un coup de couteau

Qui transperce mon ego

Des silences qui résonnent

Me tiennent en laisse

Je m'accroche à des photos

Et je manque de ta peau

Chaque fois qu'on s'abandonne

Qu'on se délaisse

Notre histoire tombe à l'eau

Et je me noie dans les flots sans toi

À cause de toi, mon cœur saigne

Car tous mes rêves t'appartiennent,

Il faudrait que tu reviennes

Tu sais, à cause de toi, mon cœur saigne

Car tous mes rêves t'appartiennent,

Il faudrait que tu reviennes

C'est comme une balle en plein cœur

De regret, de rancœur.

Ton absence qui résonne et dérésonne

Et je compte les heures,

Aucun souvenir ne meurt

Personne ne te remplace,

J'perds le contrôle

Notre histoire tombe à l'eau

Et je me noie dans les flots sans toi

À cause de toi, mon cœur saigne

Car tous mes rêves t'appartiennent,

Il faudrait que tu reviennes

Tu sais, à cause de toi, mon cœur saigne

Car tous mes rêves t'appartiennent,

Il faudrait que tu reviennes

Chaque nuit, j'attends que tu rentres,

J'ai toujours cette boule au ventre,

Je n'fais que penser à toutes mes fautes

Je me tue à t'attendre,

J'aimerais juste comprendre

À cause de toi, mon cœur saigne

Tous mes rêves t'appartiennent,

Il faudrait que tu reviennes

Tu sais, à cause de toi, mon cœur saigne

Tous mes rêves t'appartiennent,

Il faudrait que tu reviennes

À cause de toi, mon cœur saigne, mon cœur saigne, mon cœur

saigne...

Mon cœur saigne...

Il faudrait que tu reviennes,

À cause de toi, mon cœur saigne, mon cœur saigne, mon cœur

saigne,

Mon cœur saigne...

À cause de toi, mon cœur saigne

Car tous mes rêves t'appartiennent,

Il faudrait que tu reviennes

Chapitre 10

Je passe les deux jours suivants à osciller entre la torpeur due au choc de la perte de Tyron et la rage due à ma souffrance, ce qui ne me ressemble pas. Je suis une personne qui gère toujours ses émotions et ne les laisse pas prendre le dessus. Je ne me reconnais pas, mon état d'esprit doit redevenir à la normale, je ne peux pas me permettre de rester comme ça.

Je dois me reprendre en main, donc quand mon réveil se fait entendre, je sors du lit et fonce sous la douche. Ce matin, je reçois un appel d'un notaire m'informant qu'il a des documents pour moi et qu'il souhaite me voir rapidement. Je ne comprends pas la raison de l'empressement de ce rendez-vous. Me préparant à rencontrer cet homme, je regarde ma garde-robe afin de choisir de quoi me vêtir malgré mon envie de rester à la maison pour pleurer l'homme de ma vie.

Quatorze heures, j'entre dans le cabinet et informe la secrétaire de mon identité. Elle me fait patienter quelques minutes dans la salle d'attente avant qu'un homme d'une petite cinquantaine d'années ne m'appelle et ne me demande de le suivre. Une fois entrée dans la pièce, j'observe ce qui m'entoure. Le maître des lieux ne semble pas être adepte de décoration. Hormis la lumière provenant de la fenêtre, la salle est plutôt sombre. Le monsieur doit avoir des gènes de vampire. Je regarde le reste et découvre un secrétaire encombré de dossiers ainsi qu'un bureau accompagné de deux chaises qui semblent peu confortables d'un côté et un siège rembourré de l'autre. Dès que nous sommes installés, il sort une pochette cartonnée et l'ouvre. Elle semble être bien fournie, il pose un tas de documents sur la table, sur lequel se trouve une enveloppe blanche qu'il met de côté. Dès qu'il a fini sa mise en place- je dirais même qu'il s'agit d'un scénario rondement étudié-l'homme me regarde enfin.

— Mme Clayton, je suis Maître Franck Kor, le notaire de votre défunt mari. J'ai été mandaté pour vous faire part de ses dernières volontés.

— Très bien, mais puis-je vous poser une question ?

— Bien sûr, je vous écoute.

— Comment avez-vous appris le décès ?

— Mr Clayton a fait en sorte que je le sache, je ne peux rien vous dire de plus. Je suis désolé.

— Dans ce cas, je vous écoute, mais sachez que je ne vais pas me contenter de cette réponse Maître !

Je découvre donc l'étendue des richesses que mon mari me lègue, que ce soit financières ou immobilières. J'ai de quoi vivre plusieurs vies sans devoir travailler, mais je ne vais pas tout garder pour moi. Les familles des hommes qui sont décédés pour protéger le mien méritent de recevoir une somme conséquente qui leur permettra de vivre convenablement. Cela ne ramènera pas les morts, mais aidera les épouses et les enfants qui ne bénéficieront plus de l'argent qu'ils ramenaient. C'est le minimum que je puisse faire pour eux. Avant de quitter le cabinet, le notaire m'a confié l'enveloppe qu'il avait mise de côté en me précisant qu'il s'agit d'une lettre de mon mari. Je la lirai ce soir quand je serai seule et que j'aurai assimilé tout ce que je viens d'entendre. Je quitte le bâtiment trente minutes plus tard, l'esprit ailleurs, Tyron envahissant mes pensées.

Assise dans ma voiture, je sors mon téléphone sécurisé et décide de contacter mes hommes afin qu'ils me ramènent de quoi me défouler ce soir. J'ai des demandes de contrat en attente, dont une qui ne se trouve qu'à cent kilomètres d'ici. Ils ne devraient pas en avoir pour trop longtemps avec les informations que nous avons sur nos cibles, il leur sera facile de trouver mon futur jouet.

Vingt et une heures, mon téléphone bipe, me signalant l'arrivée d'un message. Je prends mon portable et le déverrouille.

— Tout est prêt.

Court, mais efficace. Mon contrat m'attend dans mon antre.

— J'arrive dans quinze minutes.

Je me prépare pour ma soirée sportive qui va me faire un bien fou, mais surtout m'aider à penser à autre chose qu'à mon héritage. Les cheveux attachés en queue de cheval haute, j'enfile un débardeur et un legging, le tout près du corps pour faciliter mes mouvements. J'ajoute une paire de baskets à mes pieds et entre dans ma pièce de torture puis fixe la masse étendue sur le sol. Les poignets et les chevilles bloqués par des menottes, il lui est impossible de me fuir. Je me dirige vers mes outils afin de les observer. La main sur le menton, je réfléchis à quelle arme va me servir ce soir. Difficile de choisir parmi toutes les possibilités, il faut dire que ma collection est grande. Avant de me décider, j'attrape un dossier posé sur la table et l'ouvre. Je me remémore la demande de mes clients et le pedigree de la personne qui se trouve dans la même pièce que moi. Je relis tous les renseignements sur ma victime du soir et j'avoue être toujours surprise de voir le mal perpétré par cette personne. Certains êtres humains ne méritent pas de vivre dans ce monde, alors je fais ce pour quoi je suis payée. Les faire souffrir, voilà ce que j'aime. Je les envoie vers leur dernière destination, l'Enfer, là où se trouve leur place. Reposant le compte rendu d'Arthuro sur cet horrible personnage, je m'adresse enfin à elle.

— Madyson Parker, trente-neuf ans, célibataire sans enfant, médecin urgentiste, casier judiciaire vierge. Que faites-vous ici, *si tu es si parfaite* ? demandé-je avec agressivité.

— Je… je ne sais pas, dit-elle en reniflant, le visage baissé et le corps tremblant.

— Ah bon, pourtant, j'ai entendu dire que tu avais un penchant pour la bouteille. On ne t'a jamais appris qu'il faut choisir entre boire et conduire ?

— …

— Oh, Madyson, ne me fais pas perdre mon temps, crois-moi, si je m'énerve, tu ne vas pas aimer. Pas du tout, lui hurlé-je dessus en lui jetant un regard assassin.

— Je n'ai rien fait de mal, murmure, la chienne, peu sûre d'elle, transpirant la peur.

— Ah. Ce n'est pas ce que dit la famille de Juliette Richardson, tu sais la jeune femme que tu as renversée et laissée pour morte sur le bord de la route.

— Ce n'est pas moi !

— Menteuse ! Tu crois que je n'ai pas réussi à dénicher les images de la vidéo surveillance que ton cher papa a essayé de faire disparaître ?

— Quoi ? Impossible ! hurle-t-elle surprise que son secret soit dévoilé.

— Quand tu as des personnes qui savent chercher, c'est assez facile de trouver. Ne t'inquiète pas, je m'occuperai aussi très bientôt de ton père.

— Non ! Laissez-le tranquille, il n'y est pour rien, me supplie-t-elle en pleurnichant.

— Et effacer des preuves qui incriminent sa fille, empêchant une famille d'avoir les réponses et de connaître les circonstances dans laquelle leur enfant est morte, n'est pas un crime ? m'énervé-je en lui criant dessus

— S'il vous plaît, ne lui faites pas de mal, je suis la seule responsable. C'est à moi d'en payer le prix.

— Nous sommes d'accord, tu vas être condamnée pour ça, mais pas devant les tribunaux, je suis là pour te faire appliquer ta peine. *La mort* !

— Nonnnn, vous n'avez pas le droit, réagit-elle avec véhémence.

— Espèce de conne, ici c'est moi qui décide et crois-moi, tu vas souffrir. Maintenant, ferme ta gueule et profite du spectacle.

Stoppant ainsi la discussion, j'attrape une grosse paire de ciseaux, m'accroupis à côté d'elle. Me voyant avec l'instrument entre les mains, elle se met à hurler et tente de s'éloigner le plus loin possible de moi. Pas de bol pour elle, Madyson a oublié qu'elle est pieds et poings liés et se fait mal toute seule. Je décide donc de faire monter un peu plus le curseur de sa peur en m'asseyant sur son bassin, une jambe de chaque côté des siennes. Que c'est orgasmique de voir la terreur dans le fond des iris de cette pétasse. Je commence à découper son pull fin puis son caraco pour finir par son soutien-gorge. J'aime prendre le temps de défaire chaque couture jusqu'à ce qu'elle n'ait plus rien sur son buste.

Ensuite, je caresse sa peau et appuie à certains endroits avec la pointe de mes ciseaux tels que les côtes, le sternum et l'abdomen. À chaque pression, Madyson crie de peur que je la plante, son corps tremble de partout. Je me délecte de mon pouvoir sur sa personne. Je me relève et me dirige vers ma petite cuisine afin de mettre de l'eau à chauffer, j'ai une idée de jeu auquel j'aimerais bien jouer avec elle. Le temps que ça chauffe, je rejoins ma victime et m'occupe de faire disparaître le reste de ses vêtements jusqu'à ce qu'elle soit complètement nue. Dès que c'est fait, je retourne chercher ma bouilloire pour me faire un thé, une petite pause ne nous fera pas de mal. Madyson va ressentir l'effroi à une échelle qu'elle n'a jamais imaginé et en ajoutant l'appréhension, ça fait toujours un bon combo.

Le jeu va bientôt commencer et j'ai hâte de m'amuser avec elle.

Chapitre 11

Quand je repense à ce qu'il aurait pu être fait pour sauver cette jeune fille avec de telles blessures, une idée me vient. J'attrape donc dans un de mes placards à gros jouets, une batterie ainsi que les câbles qui l'accompagnent. Quand Madyson me voit revenir vers elle avec ça en main, ses yeux expriment la terreur qu'elle ressent, ce qui me fait sourire. Je dépose mes outils à ses pieds puis sans lui jeter un regard, je branche les pinces sur les témoins « + » et « — » ensuite j'attrape les autres qui se trouvent aux extrémités des câbles. Les faisant entrer en contact, une décharge électrique forme des étincelles ce qui, accompagné du bruit, fait sursauter mon invitée.

— Vois-tu Madyson, toi qui es médecin, tu sais que si tu t'étais arrêtée pour secourir cette demoiselle, tu aurais remarqué que son cœur s'était arrêté et que tu aurais dû lui faire un massage cardiaque. Donc, reprenons les bases, je te fais un cours de rattrapage pour que tu te rappelles ce qu'on est censé t'avoir appris à l'école de médecine. Le massage n'ayant rien fait pour améliorer l'état de ta patiente, il te faut maintenant prendre un défibrillateur pour redémarrer son cœur. Tu te doutes bien que je n'ai pas ce genre de matériel ici, donc je vais te faire une démonstration avec les moyens du bord ! dis-je en lui montrant la batterie et les câbles.

— S'il vous plaît, ne faites pas ça.

— De quoi te plains-tu ? Je veux simplement être sympa avec toi, moi ! feigné-je de m'intéresser à son cas.

— Vous allez me tuer !

— Pour qui me prends-tu ? Je sais ce que je fais et sache que je ne compte pas te laisser t'en sortir aussi facilement ! Ceci ne sont que les préliminaires, chère docteure !

Sans la prévenir, je lui enfonce les pinces dans le ventre, ce qui la fait hurler de douleur. Au bout de quelques secondes, je les déplace sur sa poitrine, puis sur toute la surface de son corps. Sa voix qui se brise sous l'intensité de la décharge ainsi que ses cris résonnent comme une douce mélodie à mes oreilles. Je me vide émotionnellement de la peine que m'apporte la mort de Tyron en brisant petit à petit cette garce égoïste. Au bout d'un moment, je sors de ma transe, je me suis évadée dans mes doux souvenirs, mais je me rends compte que seul le bruit de l'électricité traversant son corps, sort de la masse évanouie qu'est Madyson.

Merde, ça ne m'est jamais arrivé d'agir de cette façon. Je lâche ce qui est dans mes mains et prends le pouls de la belle au bois dormant et je souffle, rassurée qu'elle soit toujours en vie. Je n'en ai pas fini avec cette salope égoïste. Pour la faire revenir avec moi, je prends dans un tiroir de ma desserte à roulettes, une seringue remplie d'adrénaline prête à être injectée dans la carotide de la fausse Aurore. Elle reprend connaissance très rapidement, le corps transpirant la peur et le regard horrifié.

— Tiens, tiens, tiens, Madyson te revoilà ! Tu m'as fait faux bond, dis-moi ce n'est pas très gentil de ta part de m'abandonner alors qu'on s'amuse si bien toi et moi, me moqué-je.

— S'il vous plaît, ne me faites plus de mal, pleure-t-elle pathétiquement.

— Allez, ne perdons pas de temps, continuons veux-tu ? Où en étions-nous ?

Je fais mine de chercher dans ma mémoire en déposant mon poing sous mon menton. J'aime jouer à l'actrice, j'ai loupé une opportunité de faire carrière dans le cinéma. Je suis sûre que j'aurais pu réussir et être une star !

Non, je déconne, je n'aime pas être dans la lumière, l'ombre sied mieux à mon teint, haha haha !

Revenant à ce que je suis en train de faire, je fixe de nouveau mon regard sur cette bonne vieille Madyson et reprends mon laïus.

— Ah oui ! Voilà. Dès que la patiente a repris connaissance, il faut soigner ses blessures, et tu sais qu'elles étaient celles de cette demoiselle innocente ? hurlé-je de rage en lui lançant un regard presque démoniaque.

— N... Non. Tente-t-elle de répondre, mais sa voix étant à présent rauque à force d'avoir crié de toute son âme durant mon acharnement.

— Une fracture ouverte du tibia. Une opération aurait été programmée afin de mettre en place une broche. Tu vois où je veux en venir ? demandé-je le sourire aux lèvres.

Je repousse mon matériel, puis pars à la recherche de ce qui va me servir pour la suite des réjouissances. Une fois l'objet de torture suivant en main, je lui montre en remuant le poignet. J'appuie sur la gâchette et le bruit caractéristique de la perceuse électrique brise le silence. Madyson en entendant le doux ronronnement de l'engin devient hystérique, j'adore.

— Arrêtez ! Ça suffit, laissez-moi partir ou je vous promets que mon père vous fera enfermer en prison jusqu'à votre mort. Vous n'avez pas le droit de me faire ça ! AAAAAAAAAAAhhhhhhhhhhhhhh au secours, aidez-moiiiiiiiiiiiiiiiiiii !

Elle semble avoir retrouvé un peu de courage et de cordes vocales, qu'elle est conne. Plus Madyson me montre de l'envie de vivre et plus je veux la détruire.

— Ahahah, crie autant que tu le souhaites, personne ne viendra te sortir de mes griffes. Ton père te rejoindra en enfer, ne t'inquiète pas. Et pour finir, sache que personne n'est au courant de ta disparition. Tu vas quitter ce monde et personne ne retrouvera ton cadavre, l'informé-je avec une joie infinie placardée sur le visage.

— Mais… mais.

— Ta gueule pétasse, tu vas crever, fais-toi une raison. Je vais prendre mon pied à te détruire. Plus tu feras de bruit et plus tu me donneras d'énergie supplémentaire à faire durer encore et encore cette soirée.

Pour être sûre de ne plus entendre ses jérémiades, je place l'embout avec une vis de cinq centimètres sur sa cuisse, puis mets en route la perceuse. Franchement, de mon point de vue, je ne lui ai pas fait grand-chose et elle pleurniche comme un bébé. Pff, ça devient compliqué de trouver des personnes capables de gérer un minimum les souffrances que je leur inflige. Je teste sa tolérance à la douleur et j'avoue qu'elle n'est pas très élevée. Je suis terriblement déçue. Dès que je finis d'enfoncer la vis et que la tête de la perceuse touche sa peau, je stoppe l'engin. Elle hurle à la mort, comme si ça allait l'aider à la faire venir. La blague. Moi seule peux l'invoquer ! Fini de jouer. J'attrape le poignet de cette chère Madyson, puis mets de nouveau en route la bête afin de fixer son membre au bras droit de la chaise. Je fais de même avec le gauche ainsi que les chevilles avec du matériel de fixation plus grand.

Cette conne ne peut plus bouger, je trouve ça extrêmement drôle de la voir essayer de se dégager et d'arrêter aussitôt à cause de la douleur. La partie amusante va commencer, comme désormais, Madyson n'arrive pas à remuer sans être stoppée par une décharge de torture qu'elle s'autoinflige, je pars chercher un scalpel. La fraîcheur du métal en contact avec mon épiderme me réconforte, c'est comme tenir dans ses bras un doudou.

Oui je sais, dit comme ça, ça sonne bizarre, mais pour moi, c'est rassurant. J'ai toujours aimé les armes blanches.

Le son de désespoir qui sort de la gorge de Madyson, me ramène au présent. La pauvre ne peut même plus hurler, ses cordes vocales n'ont pas tenu le choc. Resserrant ma prise sur l'outil, je place ma main sur l'épaule de Mady et pose le scalpel contre la peau délicate de son sternum. J'appuie doucement, mais avec fermeté et insiste vers le bas en ligne droite.

La torture est telle que malgré la douleur, elle tente de dégager ses membres de leurs entraves. Sur cette opération du désespoir, elle déchire la chair de ses poignets et de ses chevilles, le sang gicle de toute part, des lambeaux de peaux se détachent et tombent sur le sol. C'est sanglant et barbare, c'est trop bon. Je sens l'excitation monter en moi, je m'arrête dès que sa poitrine est ouverte en deux jusqu'à son abdomen.

Vous voyez, comme quand on ouvre un lapin et qu'on écarte la peau sur les deux côtés afin de vider l'animal, eh bien c'est exactement ce que je vois. Les organes que j'ai fait en sorte de ne pas toucher et abîmer, bougent à un rythme effréné, la peur faisant accélérer les fonctions des organes. Le cœur bat comme un cheval au galop, c'en est hypnotisant, je reste bloquée sur ce mouvement obsédant. Ce spectacle ne dure que quelques secondes, son corps ne peut pas en subir davantage. J'observe le regard de cette salope et vois son âme quitter la carcasse de Madyson, je laisse aussitôt tomber mon instrument au sol. Avançant ma main à l'intérieur de sa cage thoracique, j'enferme le cœur tambourinant de Madyson dans mon poing. Je serre jusqu'à ce que mes doigts s'enfoncent et déchirent l'organe et que le sang visqueux recouvre mes phalanges. Je relève mes yeux sur le visage de cette garce pour observer son regard vide. La mort elle-même peut venir chercher l'âme de cette femme pour l'emmener avec elle en enfer. Je prie pour qu'on lui réserve le pire possible à endurer à tout jamais.

Chapitre 12

Je suis détendue après ma soirée en tête à tête avec Madyson, grâce à elle, je me sens mieux, fatiguée, mais plus sereine pour lire le courrier que m'a laissé Tyron. Je me doute que sa missive mortuaire va me détruire psychologiquement, il était mon tout depuis plusieurs années. Pas un seul jour n'est passé sans qu'on ne se contacte, que ce soit par téléphone, message ou en face à face. Un sentiment de perte immense m'assaille depuis sa disparition. Je ne sais pas si je vais réussir à dépasser cet état, la tristesse, la rage et l'envie de tuer me sont désormais familières. Ce qui n'était pas le cas avant que je n'entende ce message funeste. Je repousse, par la force des choses, un peu le moment de lire les dernières paroles de mon homme en allant prendre une douche plus que nécessaire. Je ne veux pas tacher le papier avec de l'hémoglobine, je dois chérir chaque mot et les garder auprès de moi à jamais.

Je prends fébrilement l'enveloppe, la décachette puis sors le papier blanc noirci par l'encre. J'appréhende de découvrir ce qu'il avait décidé de me dire en prévention de sa disparition, alors je souffle un coup pour me donner le courage nécessaire puis déplie la feuille.

« Ma douce Célia

Si tu lis aujourd'hui ces mots, c'est que je ne suis plus de ce monde. Pourtant, je voudrais que tu saches que tu as toujours été mon unique amour. Dès que mes yeux se sont posés sur toi, j'ai su que j'étais foutu. Tu as su, sans même le faire exprès, me faire tomber amoureux de toi. Te voir te battre et éliminer ce type dans cette ruelle sombre m'a fait comprendre que tu étais faite pour moi. Le mauvais garçon a eu le coup de foudre pour une guerrière au caractère bien trempé avec une soif de vengeance pour les personnes victimes d'injustice. Je t'ai approchée comme on le fait avec une bête sauvage, c'est à dire avec patience et calme.

Ça peut paraître réducteur cette façon de parler de toi, mais tu étais ainsi à ce moment de ta vie et je t'ai aimée telle que tu étais.

C'est d'ailleurs cet insatiable besoin de revanche qui coule dans tes veines qui me fait peur, maintenant que je ne suis plus là. Je ne veux pas que tu partes à la chasse des responsables de ma mort — si tel est le cas — car tout ce que je souhaite c'est que tu sois heureuse, même sans moi. Laisse tomber ce projet de vengeance. Voyage, rencontre du monde, des hommes -quand tu seras prête- et vis une autre magnifique histoire d'amour. Forme une famille, pour moi, pour nous, mais aussi pour l'homme qui partagera ta vie. Tu es faite pour être mère, si tu savais le nombre de fois où j'ai espéré que tu m'annonces la future venue d'un petit être qui nous ressemblerait. Malheureusement, la vie en a décidé autrement.

Je souhaite simplement que tu gardes en tête les merveilleux moments que nous avons passés ensemble, l'amour qui nous unissait et que tu laisses partir cette rage qui coule dans tes veines. Ne lève pas les yeux au ciel ma chérie, je te connais par cœur. Je ne mérite pas une femme comme toi avec ce que je fais comme métier, mais sache que je chéris chaque instant en ta présence. Je t'aime tellement, si tu savais, même après mon dernier souffle, ce sentiment ne changera pas. Notre rencontre a dû être écrite quelque part, car il était impossible de passer à côté d'un amour comme le nôtre.

Je te laisse parcourir sans moi, le chemin qui te mènera jusqu'à ta prochaine destination, ça devait se passer ainsi. Ne pleure pas, c'était écrit, s'il te plaît soit forte comme tu sais le faire. Fais ce qui te rend heureuse, vis ta vie pour toi et non pour mon souvenir.

Je te laisse le code pour accéder à mon bureau afin de pouvoir le vider, ne t'attarde pas sur les papiers, détruis-les. Je te lègue tout, c'est déjà arrangé, ne t'inquiète pas, tu as juste à signer les documents que Maître Kor te procurera.

Je t'aime pour l'éternité.

Je suis à toi, à jamais.
Ton Tyron

Chapitre 18

Cette dernière lettre m'a beaucoup émue et en même temps a remué le couteau dans la plaie béante de mon cœur. Cela ne fait que me confirmer ce que mon organe et mes tripes me hurlent. Je dois, malgré sa demande, le venger, nous venger pour la vie que nous ne partagerons plus. Je vais donc accélérer le rythme des contrats et amasser le plus possible de fric pour financer mon plan d'action. C'est plus motivée que jamais que j'envoie un message à Arthuro afin de lui faire part de ma demande.

— Je vais avoir besoin que ton équipe et toi fassiez des heures sup'. Je veux tout savoir sur ces ordures, jusqu'à la couleur de leurs sous-vêtements, s'il le faut. Vous avez carte blanche, cependant, je veux des résultats rapidement. Utilisez tous les moyens possibles. Piratez tous les ordinateurs, téléphones et caméras que vous pouvez. Payez des informateurs et même des femmes pour faire parler les hommes susceptibles de détenir des informations intéressantes. Menacez et torturez toutes les personnes qui seraient récalcitrantes s'il le faut, je veux tout savoir sur ces fumiers.

— OK, patronne.

— Vous avez jusqu'à demain soir pour me donner un rapport préliminaire.

— Ce sera fait.

Voilà une bonne chose de faite. Arthuro va passer une nuit blanche pour remplir sa mission. Je regarde l'heure sur mon portable et vois qu'il est déjà plus de vingt-deux heures trente. Cette journée m'a épuisée autant physiquement que moralement. La découverte de la lettre de Tyron m'a retournée bien plus que je ne l'aurais imaginé. Mon estomac a décidé de ne pas se manifester tellement je suis abattue mentalement. Celui-ci se retrouve noué par le chagrin. C'est sur cette pensée que je vais me coucher dans la chambre d'ami après avoir pris un cadre comportant un cliché de Tyron dans le couloir.

« *Je vais te venger mon amour* », dis-je à la photo en la posant accompagnée de mon portable sur ma table de nuit, puis éteins la lampe de chevet.

Le lendemain matin, je retourne travailler afin d'organiser le rapatriement des corps et me forcer à penser à autre chose. De toute façon, pour le moment je ne peux rien faire tant que je n'ai pas le retour d'Arthuro. Mon équipe va avoir beaucoup de travail, car je prévois d'assurer le maximum de contrats en peu de temps afin d'empocher le maximum d'argent pour financer ma croisade meurtrière. Une tueuse à gages a toujours du boulot, les enflures ne manquent pas en ce bas monde.

Neuf heures tapantes, j'entre dans l'enceinte de mon entreprise funéraire et salue mes employés, puis pars dans mon bureau sous leurs regards abasourdis. C'est compréhensible, j'avais dit que je serais absente une semaine et me revoilà déjà. Ils vont me prendre pour une folle ou pour une femme sans cœur. Dans un sens, je le suis, mais en l'occurrence, c'est surtout pour oublier l'espace de quelques heures mon malheur. Une fois mon café avalé, je fais venir ma secrétaire afin de faire un point sur les rendez-vous prévus aujourd'hui et les affaires en cours après lui avoir expliqué que j'ai besoin de m'occuper l'esprit, heureusement pour moi, elle semble me comprendre et ne cherche pas à me poser de question sur mon état mental du moment. Je passe la journée au travail, puis rentre à la maison le soir vers dix-huit heures.

J'ai du mal avec la manière dont mes ouvriers me regardent, les yeux remplis de pitié et le fait qu'ils cherchent à me réconforter avec leur gentillesse, me renvoie en pleine gueule mon statut de veuve. J'ai beau être anéantie par la perte de mon mari, cela ne change rien, je suis une personne forte qui n'aime pas qu'on soit continuellement derrière mon dos pour l'épauler. Je comprends qu'ils puissent vouloir me prêter main forte, mais pour me remettre émotionnellement, je dois avancer seule. Il devient primordial que je reprenne la route en solitaire, car je crois que je ne supporterais pas de perdre à nouveau un être cher. Cette souffrance est mienne, je ne veux la partager avec personne. Elle m'aide à tenir debout en pensant à la suite du plan.

La semaine passe ainsi : boulot, meurtre un soir sur deux et mes nuits à pleurer l'absence de Tyron. Vendredi soir, je me décide à aller dans le bureau de mon homme et voir ce qui pourrait m'intéresser pour mon enquête. Je suis sûre qu'il y a des informations sur ces ordures, Tyron était du genre à garder bien précieusement dans son antre tout ce qui pouvait l'aider à connaître ses ennemis pour les garder loin de son business. C'est le moment d'être forte et de fouiller les dossiers classés dans les armoires et les tiroirs ainsi que dans l'ordinateur présent dans la pièce.

Préparez-vous bande de connards, vous ne le savez pas encore, mais vous allez tous crever !

J'ai hâte de voir la peur et l'incrédulité dans leurs regards quand ils comprendront qui je suis et pourquoi je serai la dernière personne qu'ils verront avant de rendre l'âme dans la souffrance et l'agonie.

C'est parti ! J'attaque mes recherches par la paperasse contenue dans les classeurs.

Après plus d'une heure à lire une page après l'autre, je suis un peu déçue, je pensais trouver plus d'informations sur les petites mains des organisations, or il n'y a pas grand-chose. En même temps, je me doute que celles-ci changent régulièrement. Je vais devoir attendre d'en savoir plus. Je ne vais pas les attaquer tout de suite, ils doivent être sur le qui-vive, s'attendant à des représailles. Dans l'ordinateur, il n'y a pas grand-chose qui m'intéresse, beaucoup de choses concernant son business, mais pas sur mes cibles.

La patience est mère de toutes les vertus, comme on dit.

Je reviendrai dans le bureau de mon mari quand j'aurai de quoi comparer les informations des dossiers avec ce que mon équipe aura trouvé. En attendant, je quitte la pièce et me rends dans ma chambre regarder la télévision, ça me changera les idées et me détendra.

Je fais défiler les chaînes et m'arrête sur une émission qui dépeint les crimes commis par des membres d'une même famille. En l'occurrence, un meurtre attribué à un mari qui a descendu sa femme. Quel abruti, ne jamais tuer une personne de son entourage, c'est la règle numéro une. Que font les flics quand ils commencent leur enquête ? Ils interrogent et considèrent les proches comme suspects. Si par malheur, des recherches sont faites sur internet ayant un rapport de près ou de loin avec le meurtre, vous êtes foutu. Même les comptes en banque, les assurances vie, les conversations téléphoniques, les messages et j'en passe, sont épluchés en long en large et en travers jusqu'à vous coincer. Il ne manquerait plus que vous laissiez des empreintes sur la scène de crime ou encore sur l'arme, vous êtes directement emmené dans la case prison. Comme ce couillon à la TV qui a cru qu'en effaçant ses recherches dans le navigateur de son ordinateur avec les phrases « comment faire disparaître un corps humain », ou encore « comment éliminer sa femme sans laisser de traces ». Il n'a visiblement pas pensé à supprimer son cache ce qui a permis aux poulets de le confronter à ses contradictions. Quand toutes les preuves sont contre vous, les flics n'ont plus qu'à vous acculer pour finalement vous faire avouer pendant l'interrogatoire. Quel amateur !

Quand on veut faire le boulot proprement, il y a beaucoup de préparations et d'informations à prendre en compte. Un travail minutieux qui nécessite du temps, mais SURTOUT descendre des inconnus avec qui vous n'avez aucun lien. Pff ! Franchement, moi qui souhaitais me détendre en regardant la télé, c'est raté. Ils m'ont grandement énervée avec toutes leurs erreurs de débutants, pour une professionnelle comme moi, c'est une aberration de faire des boulettes de ce genre.

J'éteins l'appareil, m'installe sous les draps, ma tête posée sur l'oreiller et me mets à visualiser ce que je pourrais leur procurer comme souffrance. J'imagine mes doigts s'enfoncer dans leurs orbites pour ensuite les déloger de leurs emplacements. Je sens déjà l'odeur ferreuse du sang que j'aurais sur les mains. Mon moral commence à remonter en imaginant la tête que feront ces fils de putes, quand ils comprendront que je suis là pour les envoyer directement en enfer sans possibilité de passer par la case prison.

Un jour viendra où ils regretteront de s'en être pris à mon homme.

Alors, c'est le sourire aux lèvres que je m'endors.

Chapitre 14

Cela fait maintenant quatre mois que Tyron est mort, la douleur est moins forte, même si son absence me peine toujours autant. C'est plus facile à vivre en quelque sorte. Je suis prête à faire ce qu'il faut pour qu'il soit fier de moi une dernière fois. Ce sera mon cadeau d'adieu et ça me permettra de le laisser partir le cœur apaisé. Je lui dois bien ça, même s'il aurait préféré que je ne risque pas ma peau pour me venger des monstres qui nous ont séparés à tout jamais.

***

Arthuro me contacte pour m'informer de l'avancée de ses recherches et malheureusement ça ne se passe pas comme je le souhaite. Il est bien plus compliqué de dénicher les hommes présents ce jour-là. Beaucoup de ces types se cachent et ne laissent presque aucune trace d'eux que ce soit physique ou numérique. Arthuro et son équipe vont devoir faire appel à des personnes sur place qui sont prêtes à lâcher des renseignements contre un peu de cash. Dorénavant, je suis dans l'obligation de prendre mon mal en patience.

Je suis entrée en contact avec les familles des défunts afin de leur communiquer l'arrivée des corps à l'aéroport aujourd'hui. Ça n'a pas été facile de les rapatrier, mais grâce à mes contacts aux États-Unis, les fausses identités sont dans la base de données de la police new-yorkaise. Les autopsies étant déjà pratiquées, la justice n'a plus besoin de garder les cadavres. De ce fait, ils peuvent être mis en terre dès demain. Toutes mes équipes transportent les cercueils dans les églises et cimetières indiqués par les familles. Je prends en charge tous les frais et vire une forte somme d'argent sur les comptes en banque des épouses, conjointes ou mères des défunts. Je me suis levée aux aurores pour procéder à toutes les transactions. Tyron n'ayant plus de parents encore vivants, il n'y a que moi présente à la cérémonie religieuse et la mise en terre. Je préfère être seule pour faire mes adieux à l'homme qui détient mon cœur.

***

Je prends la direction des pompes funèbres pour discuter avec ma secrétaire, car les choses vont radicalement changer pour elle comme pour moi d'ailleurs. Une page se tourne et c'est mieux ainsi, je suppose.

Quand j'arrive dans le magasin, mon regard parcourt chaque surface, je profite de l'absence de mes employés dans la pièce puisqu'ils sont dans la salle de pause en train de boire le café du matin tous ensemble. J'enregistre mentalement ce qui a été ma vie jusqu'à maintenant. Mon métier un peu particulier, mes employés, mon mari aimant et j'accepte intérieurement de me dire que ce sera peut-être la dernière fois que je vois tout ça de mon vivant. Je ne suis pas stupide, je sais très bien que les enjeux sont grands, mais également dangereux. Je vais m'en prendre à des monstres sanguinaires qui ne seront pas faciles à éliminer enfin surtout, une fois que j'aurais commencé avec le premier gros poisson, je sais que les autres seront encore plus méfiants. C'est la vie que j'ai décidé de vivre dorénavant et rien ne pourra me faire changer d'avis. J'entre dans mon bureau, m'installe et appelle Maélia sur son téléphone pour qu'elle me rejoigne après avoir fini son café. Quelques secondes plus tard, elle se présente à la porte que j'ai laissée ouverte, la ferme derrière elle et s'installe sur le siège en face du mien.

— Bonjour patronne, vous avez demandé à me voir ?

— En effet, Maélia, je voulais m'entretenir avec toi pour une affaire urgente et délicate.

— Oh, je vous écoute…

— Je vais quitter la ville pendant un certain temps et j'aurais besoin de savoir si tu étais d'accord pour me remplacer au poste de directrice ?

— …

Elle semble ne pas réaliser ce que je lui propose. J'ai l'impression de lui avoir mis une claque en plein visage. Elle a l'air d'être choquée par mes propos.

— Je ne te force à rien, si tu ne le souhaites pas et que tu préfères garder ton emploi de secrétaire ce n'est pas un problème, je trouverai quelqu'un d'autre, l'informé-je gentiment, je serais déçue certes, mais je ne lui en voudrais pas.

— Non, non, ce n'est pas ça. Je ne m'attendais pas à ce que vous partiez de façon aussi soudaine. Excusez-moi, ça ne me regarde pas, murmure-t-elle apeurée d'avoir osé parler sans tourner sept fois sa langue dans sa bouche.

— Pour être tout à fait franche avec toi Maélia, je ne supporte plus de rester ici, Tyron me manque beaucoup. J'ai besoin de m'éloigner temporairement de cette ville. Je veux…

— D'accord ! me coupe-t-elle la parole en me regardant droit dans les yeux me prouvant sa volonté.

— Comment ça d'accord ? demandé-je pour être sûre de sa réponse et pour qu'elle explique son changement de comportement. Elle passe de choquée à déterminée.

— J'accepte de prendre votre place, quelques mois, le temps que vous repreniez pied et goût à la vie, m'explique-t-elle sûre de sa décision.

— Je ne sais pas si je reviendrais, pour être franche avec toi, en tout cas, pas avant un bon moment. Tu connais le boulot, ma façon de travailler et tu as un bon contact avec les clients, tu vas y arriver, la rassuré-je après avoir vu son regard changer suite à ma confession.

— Merci pour votre confiance, Madame…

— Célia.

Je crois que je suis en train de surprendre ma nouvelle directrice en l'autorisant à m'appeler par mon prénom. C'en est presque drôle de voir sa tête ahurie.

— Célia, dans ce cas. Quand souhaitez-vous que je prenne vos fonctions ? m'interroge-t-elle en se reprenant en main et en mettant son dos bien droit.

— Aujourd'hui.

— D'accord, très bien. Je ferai de mon mieux pour que vous ne le regrettiez pas à l'avenir.

— Je sais que c'est précipité, mais j'en ai besoin. Je vais sortir tous les documents, prévenir le comptable et la banque afin que ta paie soit augmentée, mais également pour que tu puisses gérer financièrement l'entreprise. Un dossier avec des notes sera à ta disposition pour t'aider, au cas où, mais tu connais parfaitement tout ce qui attrait à cette entreprise, lui expliqué-je pour la rassurer

— Très bien, merci Célia.

Maélia quitte mon bureau pour rejoindre le sien. Je me mets au travail pour tout mettre en ordre avant mon départ. Ce soir tout doit être réglé. Après plusieurs coups de fil, mails et discussions avec mes équipes, je prends mes affaires et confie mes clés et mon entreprise à cette jeune femme dynamique et sérieuse. Je sais que ma boîte est entre de bonnes mains. Quant à mes hommes, Dancan et Troy, ils n'ont pas vraiment apprécié que je parte, car cela veut dire pour eux, moins d'entrées d'argent. Il est vrai qu'avec mes extra meurtriers, ils gagnaient gros, mais c'est comme ça et pas autrement. Ils ont bien compris que j'allais partir en mission « *suicide* » ou ce qui s'en rapproche de près, et comprennent mon point de vue, ils aimaient énormément Tyron. Il est vrai qu'il leur a sauvé la vie il y a quelques années et depuis ils avaient beaucoup de respect pour lui. La majorité de l'équipe souhaitait me suivre afin de participer à la tuerie de masse, mais c'est mon combat ! Je ne suis pas quelqu'un qui accepte de négocier si je ne le souhaite pas. Peu importe leur volonté de partir avec moi, je suis restée inflexible et j'ai donc rejeté leurs demandes.

Je reprends mon véhicule pour rentrer chez moi, j'ai beaucoup de choses à préparer. Arthuro doit également me retrouver à vingt et une heures pour me donner le rapport complet et finalisé sur mes cibles. Ça a pris quatre mois, mais je pars avec toutes les informations nécessaires pour pister mes proies. En attendant son arrivée et vu qu'il n'est que dix-sept heures, je décide de monter dans ma chambre pour me changer et de me rendre dans ma salle de sport privée. J'ai besoin de me dépenser pour penser à autre chose, mais surtout afin d'être concentrée tout à l'heure, il me faut éliminer ce trop-plein d'énergie et de stress. J'aime avoir l'esprit clair notamment lorsque je m'apprête à créer un plan comme celui-là. Rien ne doit être irréfléchi, tout doit être carré. Il n'y a pas de place pour l'improvisation. Tel est mon crédo !

Je commence ma séance par des étirements, puis monte sur mon tapis de course pour parcourir dix kilomètres. Mon taux d'endorphine est élevé, ce qui me fait un bien fou. Je poursuis avec une séance d'abdos et de tractions. Je dois être dans une forme olympique pour ce que j'ai en tête. Je pousse mon corps à son maximum, visualiser la mort de ces hommes m'aide à tenir et à me dépasser. Je stoppe mon entraînement au bout d'une heure et demie d'exercices divers qui sculptent mon corps. Je suis contente du résultat, je suis baisable avec des formes aux bons endroits et c'est exactement le but recherché. Je veux mettre toutes les chances de mon côté afin d'approcher au maximum mes proies.

Je pars me doucher rapidement avant de prendre un bain pour me relaxer et manger un morceau avant l'arrivée d'Arthuro qui doit être là d'ici une heure. Je me pose donc sur mon canapé et prends un bouquin pour que mon esprit lâche du lest et voyage dans le monde des loups-garous. La meute du phénix fait partie de mes livres doudous, j'aime cet univers que dépeint son auteure, Suzanne Wright. C'est sûrement le côté sauvage et sanguinaire des personnages métamorphes qui m'attire autant, mais quand je lis cette saga, je suis plus détendue et le sarcasme de certains lycanthropes me donne le sourire.

Je sors de ma lecture en entendant la sonnette retentir dans le salon, je dépose donc mon livre et pars ouvrir. Je lui fais signe d'entrer et le précède pour prendre place autour de la table de la salle à manger. Il place son ordinateur portable ainsi qu'une pochette épaisse devant lui. Avant d'attaquer les choses sérieuses, je lui propose un whisky, ce qu'il accepte. Je reviens avec son verre et un coca pour moi.

Je vais enfin savoir qui sont ces monstres, à quoi ils ressemblent, s'ils ont des familles et leurs habitudes. Aucun fait les concernant ne doit m'échapper.

Chapitre 18

Après avoir avalé une gorgée, Arthuro ouvre son ordinateur, pianote quelques secondes puis tourne son écran dans ma direction. Je vois le visage d'un homme d'une quarantaine d'années, le teint hâlé, de grande taille et de corpulence assez forte. Son regard arrogant et froid me fait comprendre qu'il n'est pas du genre sympathique.

— Ce mec est le chef de la mafia italienne.

Arthuro sort de sa pochette une feuille qu'il me tend, il y a toutes les informations le concernant. Il énumère à voix haute les informations en même temps que fixe la photo épinglée :

Giovanni Flores

44 ans

Cheveux noirs

Yeux noisette

1m80

110 kg

Marié à Gabriella Flores, 36 ans

3 enfants : Lucia 14 ans, Livio 8 ans et Angelo 4 ans

Dernier membre de sa famille : un frère de 36 ans, Léandro

Flores, veuf et père d'une fillette, Giulia 7 ans.

Il affectionne particulièrement manger dans les restaurants

haut de gamme et les grands crus.

Je relève les yeux sur l'homme qui me fait face et prends les autres feuilles qu'il me tend. En feuilletant rapidement celles-ci, je me rends compte qu'il s'agit des données et des photos concernant les personnes nommées dans la fiche de ce salopard de Giovanni Flores.

— J'ai orienté mes recherches sur les personnes présentes ou dans la confidence du piège dans lequel était visé votre mari. Avec l'aide de mes contacts travaillant au saint de l'organisation de Flores, j'ai réussi à trouver des choses assez intéressantes. Tout d'abord, le bras droit de Flores. Une photo s'affiche sur l'écran, Arthuro me confie donc une nouvelle page noircie de renseignements avec le cliché accroché.

Massimo Costa

35 ans

1 m 90

90 kg

Châtain

Yeux verts

Sportif

Tatoué de la tête aux pieds

Grand séducteur

Apprécie particulièrement les armes blanches (couteaux, filin d'acier...)

Officie comme exécuteur de Flores

État mental : instable

Porte une grosse chaîne autour du cou sur laquelle il y a une croix chrétienne

Je suis assez surprise d'avoir autant de détails sur ce mec, charmant au demeurant, mais qui a l'air d'être bien barré.

— Un enfant de chœur en somme !

— Patronne, ils sont cinglés ces gars-là, vous êtes sûre de vouloir vous frotter à eux ?

— Oh oui ! Ne t'inquiète pas, je ne compte pas y aller sans préparation. Chaque mort va être minutieusement réfléchie.

— Comme vous le sentez, me répond-il mécontent de ma réponse, mais avec une pointe d'inquiétude dans la voix.

Il ne rajoute rien d'autre, mais son regard réprobateur et un brin apeuré me dit ce qu'il tait.

— Tu as autre chose pour moi ?

— Oui.

Les exécutants qui gèrent les petites mains sont des triplés. Le premier est :

Nino Esposito

Gère le secteur de Turin

Aime les femmes fines et blondes

Cheveux châtain mi-long,

1m75

85 kg

Athlétique

Le second est :

Milo Esposito

Gère le secteur de Rome,

Aime les brunes pulpeuses

Blond cheveux courts

Tatoué dans le cou et percé à l'arcade

1m80

90 kg

Sportif

Le dernier de la fratrie est :

Diego Esposito

Gère le secteur de Milan

Pas de type de femme particulier

Cheveux noirs rasés

Baraqué

1m95

100 kg

— Tous les trois ne fréquentent que des filles d'un soir, ils sont très discrets et suspicieux avec les étrangers. Ils sont âgés de vingt-neuf ans et sont très proches de Giovanni Flores, les deux familles sont amies depuis de nombreuses années.

C'est intéressant de voir comment ils ont cultivé leurs différences physiques. Il est flagrant qu'ils ne souhaitent pas être considérés comme des triplés, mais comme des êtres uniques.

Plaçant la pile de documents sur le côté, je regarderai plus tard chaque information et les disséquerai à tête reposée. Il est certain que ça aurait été plus simple qu'il m'envoie tout ça par mail, mais je préfère le papier qui lui ne peut pas être piraté. Rien de mieux que les bonnes vieilles méthodes. Arthuro me tend à nouveau un paquet de feuilles noircies par l'encre.

— Je vous ai donné tout ce que j'ai réussi à trouver sur les Italiens, mais je suis toujours aux aguets. Dès que j'ai autre chose qui pourrait vous aider à les cerner, je vous le dirai.

— Très bien. Ensuite, qu'as-tu déniché ?

— J'ai de quoi vous intéresser. Les Russes sont plus méfiants et font très attention de ne pas apparaître sur les chaînes d'informations ainsi que sur internet, cependant j'ai réussi à trouver quelques trucs.

Putain, saloperie de Russes, me dis-je dans ma tête. Ils ne peuvent pas me faciliter les choses ces buveurs de vodka à la con ?

— *Lui,* dit-il en me montrant le cliché sur lequel se trouve un homme d'une cinquantaine d'années, *c'est le chef de clan.*

Pavel Magomedov

54 ans

Veuf après avoir saigné sa femme

Discret

Vit dans une propriété reculée et protégée par des barbelés, vidéo surveillance et gardes armés

Père de trois enfants adultes qui vivent avec lui

C'est tout ce qu'il y a sur le papier qu'Arthuro m'a confié. Je suis plus que surprise par le peu de renseignements obtenus. Je lance un regard d'incompréhension à mon homme de main.

— C'est tout ce que j'ai trouvé, même la photo date de plus de dix ans. Ce type ne sort pour ainsi dire pas de sa baraque, ses installations informatiques sont trop protégées. Je n'ai pas réussi à entrer dans le réseau, je peux vous dire qu'il ne souhaite pas qu'on sache quoi que ce soit sur lui ou sa famille, vu les protections qui sont mises en place. Je suis désolé de ne pas pouvoir vous en dire plus sur son lieu de vie, mais sur lui, j'ai de quoi vous mettre sous la dent. Le vieux Pavel est intelligent, il a toujours fait du trafic et n'a jamais voulu choisir un domaine de prédilection. Il a joué sur tous les tableaux qui rapportent. La drogue, les êtres humains et les armes. Ce fumier a donc forcé sa pauvre femme à enfanter trois garçons, s'il découvrait qu'elle attendait une fille, il faisait en sorte qu'elle perde le bébé, peu importe la manière. L'enfant non désiré devait disparaître, la pauvre femme a donc « perdu » trois filles à naître.

Ce type est encore pire que je ne le pensais, c'est un monstre ! Comment a-t-il pu faire ça à ses propres enfants ? Vu le portrait qu'il me dépeint, j'ai hâte de l'envoyer en enfer.

— J'aviserai sur place avec lui, je dois réfléchir à ce que je peux faire pour le débusquer. Tu as quoi sur ses rejetons ?

— Eux, c'est du pain béni, ils ne se cachent pas, bien au contraire. Ils sortent beaucoup.

Chapitre 16

Je regarde les photos des enfants de ce connard de Magomedov. Je dois avouer qu'ils sont très beaux pour des futurs macchabées. Arthuro me sort de mes pensées quand il recommence à parler. Je regarde en même temps la fiche que j'ai entre les mains pendant qu'il reprend la parole. Je le laisse énumérer chaque info, tout en l'écoutant, je fixe les photos de ces enfoirés. Je veux enregistrer le moindre centimètre de leur visage dans ma mémoire.

Miroslav Magomedov

33 ans

1m90 pour environ cent kilos

Blond

Yeux noirs

Passe son temps dans une salle de sport

Aime les sensations fortes et dangereusesTrès proche de ses frères avec qui il sort régulièrement en boîte de nuit ou dans des bars

OK, je vais devoir sortir de ma zone de confort avec celui-là, car je ne suis pas adepte des sensations fortes.

— Le second ?

Piotr Magomedov

31 ans

1m85 pour quatre-vingt-dix kilos environ

Brun

Yeux bleus

Féru de boxe, karaté et tir d'arme à feu dans un club

Suspicieux et peu sociable

Fréquente les femmes pulpeuses

Relation d'un soir uniquement

Aime aller à des concerts et au cinéma

Il gère le trafic d'armes

Le concurrent direct de Tyron, celui-là, aura une place spéciale dans mon plan de destruction des mafias Italiennes et Russes.

— Et le dernier ?

— Pour moi, c'est le pire de tous.

— Ah oui ?

— Vous allez vous faire votre propre opinion patronne.

— Allez-y, racontez-moi, l'intimé-je férocement.

Artiom Magomedov

29 ans

1m75

Quatre-vingt-cinq kilos

Froid, arrogant

Cheveux blond presque blanc

Très musclé

Dominant, adepte de BDSM dans un club dans lequel il fréquente une soumise, mais aussi d'après mes sources, un soumis. Frappe par plaisir et adore voir la peur et la douleur dans le regard de ses victimes. Gay, il cache son homosexualité à sa famille.

Sadique et calculateur, il compartimente sa vie. Boulot, famille, sexe

Gère le trafic d'être humain

— ...

— Ouais, on est d'accord, il est timbré et complexe à approcher celui-là.

— Savez-vous si les deux familles travaillent ou sont en contact régulièrement ?

— Non, elles se sont juste associées pour faire disparaître du tableau votre mari, mon cousin et les autres gars.

— Très bien, merci. Je vire sur ton compte vingt mille dollars ce soir. Tu me diras ce que je te dois pour la suite des recherches.

— OK patronne. Bonne soirée. Faites attention à vous.

Il quitte mon domicile avec son ordinateur sous le bras en me faisant un signe de tête respectueux.

C'est le crâne plein de renseignements sur les hommes qui ont tué Tyron et les photos de ces monstres que je m'endors.

Ils vont regretter de m'avoir privée de mon homme, qu'ils profitent des derniers instants de leurs misérables vies, car bientôt ils trépasseront.

Le lendemain matin, je réserve les hôtels, une voiture de location et un vol pour l'Italie, j'ai besoin de faire du repérage et de me familiariser avec les modes de vie et les lieux de mes futures victimes. Je vais bien entendu rester le plus loin possible d'eux, car je ne tiens pas à être repérée maintenant. Mon plan doit être béton avant d'entamer ma mission punitive et définitive.

Mon départ est prévu dans une semaine ce qui me laisse un peu de temps pour localiser les adresses laissées par Arthuro et me faire un plan étape par étape des lieux que je veux « visiter ». Je dresse une liste non exhaustive des achats que je dois effectuer pour mon séjour. Un appareil photo, des vêtements, des chaussures et des perruques brune, noire et rousse. On ne sait jamais, si je tombais par hasard sur une de mes cibles, je ne souhaite pas être reconnue. La discrétion est primordiale dans ce voyage.

Une véritable joie se loge dans mon cœur, je sais bien que les circonstances qui m'amènent dans ce pays ne sont pas des plus plaisantes, mais cela fait des années que je rêve de découvrir les contrées italiennes. La douceur de vivre, le climat et la beauté des paysages observés dans les reportages télévisés m'ont toujours attirée. J'effectue une recherche sur internet pour voir la météo annoncée pour les deux semaines à venir. Mon Dieu, il y a une sacrée différence entre la France et l'Italie en cette saison. Alors qu'ici, il y a à peine douze degrés, les Italiens profitent d'un bon vingt et un degrés. Je vais donc préparer ma valise dans ce sens et oublier les gros pulls et le manteau bien épais. Décidément ce séjour est de bon augure.

***

Le grand jour est enfin arrivé, un taxi vient me chercher et me dépose à l'aéroport de Roissy. Le temps de vol est très court, une heure pour voler au-dessus des 640 km qui séparent Paris de Milan. Dès que je récupère mes bagages sur le tapis prévu à cet effet, je prends la direction de l'agence de location de voiture pour qu'on me donne la petite fiat 500 que j'ai réservée. Une hôtesse me confie les clés, les papiers du véhicule ainsi que l'attestation d'assurance puis m'accompagne jusqu'à la beauté qui me conduira sur les magnifiques routes. La chaleur m'accueille dès que je sors du hangar qui protégeait les véhicules.

Je mets en route le GPS et y entre l'adresse de mon hôtel situé dans le centre de Milan. J'ai choisi celui-ci pour son standing, mais également pour sa proximité avec les lieux repérés comme très souvent fréquentés par mes cibles. J'ai réservé sous un faux nom. Je suis tellement reconnaissante d'avoir parmi mes contacts des personnes qui travaillent dans les services d'états pour avoir de « vrais » faux papiers.

Ma première matinée, je décide de passer une robe rose pâle légère, une paire de sandales couleur camel et de mettre mes lunettes de soleil. En France, il fait tellement frais qu'il n'est pas encore possible de s'habiller comme ça. Je vais profiter de la clémence du climat durant mon séjour. Prenant la direction des rues animées de la ville, je me délecte de ce moment que je m'octroie.

L'odeur délicieuse de lasagnes me rappelle que je n'ai pas déjeuné. Je m'installe en terrasse du restaurant à l'ombre d'un parasol. Regardant ma montre, je me rends compte qu'il est treize heures quinze. Je décide de faire du tourisme. Je commencerai mes repérages demain matin.

Chapitre 17

Ma journée d'hier m'a fait du bien, visiter les monuments de Milan m'a grandement déconnectée de mon quotidien. Je me suis rendue sur la place du Duomo, de cet emplacement j'ai pu visiter sa cathédrale gothique, la galerie Victoria Emanuel II et observer le couvent Santa Maria. C'est assez impressionnant de voir autant de beauté dans une même ville. Pour finir, je suis allée dans le quartier I Navigli, un dédale de restaurants, de bars et de galeries d'art longe de chaque côté du canal. À plusieurs endroits, des ponts en pierres permettent de traverser et de découvrir les boutiques. Le coucher de soleil était magnifique et se reflétait d'une façon divine sur l'étendue d'eau. C'est aujourd'hui que les choses sérieuses commencent. Je me prépare, puis descends au restaurant de l'hôtel pour prendre mon petit déjeuner.

Je veux être dans le quartier de Giovanni Flores avant huit heures quinze. Je me stationne à quelques rues de celle de ce fumier puis coupe le contact. Pour l'occasion et dans le but de ne pas me faire reconnaître, j'ai enfilé une perruque aux cheveux auburn coupés au niveau des épaules. Je pose sur celle-ci un chapeau aux bords larges qui cache une partie de mon visage puis couvre le bleu de mes yeux avec une paire de lunette de soleil qui a de grands et épais contours. Pour parfaire mon image de femme en balade, j'ai mis un top fluide de couleur rouge accompagné d'une jupe beige. Une paire de sandales en cuir termine mon look. Sur mon haut, j'ai accroché une broche toute mignonne en forme de hibou. La subtilité de cet objet, c'est qu'il y a une mini caméra dissimulée à l'intérieur. Je peux donc filmer tout ce que je vois sans paraître suspecte.

Au bout de dix minutes de marche, j'arrive aux abords d'une rue cossue, les maisons sont plus belles et grandes que celles que j'ai observées en venant. Les immenses demeures sont plus espacées et en retrait par rapport à la rue. Les pelouses sont coupées au cordeau et entretenues, les voitures luxueuses sont stationnées dans les allées et certaines maisons sont protégées par la végétation luxuriante et un immense portail. Ce qui est le cas de la baraque de, fait chier ! J'espère ne pas avoir manqué la sortie des enfants en partance pour l'école.

Sortant mon portable de la poche de ma jupe, je regarde l'heure tout en continuant de marcher et de regarder dans toutes les directions et non rester fixée sur ce fichu morceau de ferraille qui me gâche la vue. Il est huit heures dix-neuf, fait suer, je croise les doigts pour que les occupants sortent faire leur boulot de parents et emmener leur marmaille s'éduquer.

Ce doit être mon jour de chance, car le portail s'ouvre, je repère un banc à une dizaine de mètres de mon emplacement. Je m'installe dessus, positionne mon corps dans l'axe idéal afin de pouvoir avoir le plus d'images exploitables possible. Je fais comme si je ne les regardais pas, ne souhaitant pas qu'on me voit comme un danger.

Je suis un peu déçue, en tournant la tête, mon regard tombe sur trois enfants que je reconnais, les ayant vus en photo dans le rapport d'Arthuro. Ils sont accompagnés par trois types visiblement armés car, avec une température de vingt-trois degrés en plein soleil, qui porte une veste de costard ? Personne ! Sauf pour cacher la présence d'un flingue. Visiblement chaque gorille a la protection d'un enfant à sa charge. Une femme d'une cinquantaine d'années qui doit être certainement leur nourrice donne la main au plus petit des garçons. Pourquoi se faire chier à s'occuper de sa progéniture et les déposer à l'école alors qu'une étrangère payée pour ça peut le faire à ta place ?

Quelle bande de parents en carton, si ça avait été moi, je m'en occuperais à chaque instant. Apparemment, Monsieur et Madame Flores s'en foutent complètement. J'ai vu ce qui m'intéressait, je décide donc de bouger pour ne pas attirer l'attention des résidents.

Je continue ma promenade dans le quartier en m'éloignant considérablement de mon coin d'observation. Je passe devant l'école maternelle du petit et découvre le garde du corps posté devant une porte dans la cour. Pour ne pas paraître suspecte aux yeux des gardes du corps qui doivent discuter de ce qu'ils voient dans la journée, je décide de quitter les lieux et de repérer les écoles des deux autres une prochaine fois. Sur le chemin qui me ramène à ma voiture, j'interroge des habitants sur le quartier en leur expliquant que je cherche une demeure à acheter prochainement. Prudence est mère de sûreté. Je repasse devant la maison de Flores puis retourne à mon véhicule.

Arthuro m'a donné le nom de plusieurs boîtes et bars dans lesquels je suis susceptible de rencontrer Massimo Costa, le bras droit de Flores. Je me doute qu'il est risqué d'y aller et de fouiner dans l'espoir de l'apercevoir, mais je dois tenter le coup et découvrir ses habitudes. En théorie, je n'ai que très peu de chance de tomber dessus, pourtant je me dois d'essayer. Je n'ai que peu de jours à passer à Milan, je dois rapidement faire mes repérages à Rome, Turin et Naples.

J'ai du monde à surveiller, ils ne pouvaient pas tous être dans la même région ? Bordel !

J'ai pris contact il y a quelques jours avec un détective privé que m'a conseillé mon indic. Il travaille régulièrement pour lui quand il a besoin d'informations sur le territoire italien. Je lui donne rendez-vous dans un petit café proche de mon hôtel. Il a commencé des investigations pour moi et doit me donner le résultat de ses recherches, rien de bien compliqué d'après lui. C'est le pourquoi de cette rencontre rapide, je ne vais pas m'en plaindre.

— Madame Black ? me demande poliment un bel homme d'une quarantaine d'années.

J'aime beaucoup utiliser ce faux nom. Il symbolise bien mon état d'esprit.

— C'est exact, vous devez être monsieur Diaz, installez-vous, je vous en prie, lui dis-je suite à son signe de tête me confirmant son identité.

— Merci madame…
— Appelez-moi Célia. Souhaitez-vous un café ?
— Avec plaisir, Célia.

Je fais signe à un serveur qui nous rejoint aussitôt pour prendre notre commande. Nous ne disons rien le temps qu'il revienne quelques minutes plus tard. Nous buvons une gorgée de notre breuvage.

— Votre café est plus fort que ce que j'ai l'habitude de boire, si j'en avalais une tasse le soir, je n'arriverais pas à dormir, lui confié-je en rigolant

après avoir vérifié que personne ne nous écoute ou ne nous regarde, je penche mon buste dans sa direction afin de parler de notre affaire.

— Avez-vous trouvé des choses intéressantes suite à ma demande ?

— Absolument, votre gars a bien effectué ses recherches, il a identifié un gars de niveau acceptable dans l'organisation de qui vous savez.

— Vous pensez qu'il peut m'apporter des réponses par rapport à sa position hiérarchique ?

— Oui, c'est certain. Anthonio Riviera n'est pas en contact direct avec le haut du panier, si vous voyez ce que je veux dire, mais Diego Esposito lui confie des missions donc... finit-il sans avoir besoin de terminer sa phrase.

— Parfait ! J'aurais une autre demande à vous faire concernant un membre haut placé, cette fois-ci. Il me faudrait son adresse et les lieux qu'il affectionne. S'il a des habitudes, des rendez-vous chaque semaine et avec qui, si c'est le cas, etc. Je veux savoir où et quand je peux tomber sur lui sans qu'il ne se pose de question.

Je lui tends une clé USB dans laquelle sont les renseignements sur sa cible. En échange, il me confie une enveloppe dans laquelle se trouve une autre clé ainsi qu'une demande spéciale que je lui avais faite. Je sors de mon sac une enveloppe contenant la somme de deux mille euros que j'avais embarquée avec moi avant de prendre l'avion et la lui tends.

Il hoche la tête, me confirmant que tout est bon après avoir vérifié rapidement sous la table. Ensuite il se lève et me prend la main, se penche et me la baise.

— Bonne fin de journée Célia, je vous contacte dès que j'ai des nouvelles à vous communiquer.

— Faites attention à vous, ce type est un psychopathe, lui dis-je inquiète qu'il se fasse repérer et que mes plans tombent à l'eau.

— Ne vous inquiétez pas, je suis un fantôme, me rassure-t-il.

Il quitte la pièce sans se retourner. J'attends quelques minutes, puis sors à mon tour pour rentrer à mon hôtel. Je dois attendre d'être dans ma chambre pour découvrir ce qu'il a trouvé et qui pourra m'aider à avancer. Je place dans mon sac la grande et lourde enveloppe contenant une clé USB ainsi qu'un révolver de poche puis je pars.

C'est très pratique d'avoir un flingue aussi petit.

En maintenant ma besace contre mon buste, je peux le cacher facilement sous un vêtement sans être repérée par sa grosseur. C'est toujours simple à dénicher, il suffit juste de connaître les bonnes personnes.

Et je les connais, assurément.

Chapitre 18

En retournant dans ma chambre, j'allume mon pc portable et insère la clé USB. J'ouvre le fichier et découvre la tête de l'homme qui m'intéresse. On dit que les Italiens sont beaux, mais celui-là n'a clairement pas tiré la carte de la beauté, il est laid comme un pou. Heureusement que je ne dois pas le séduire voire même coucher avec, car je n'aurais pas pu.

Enfin si, vomir sûrement.

Le cafard a une femme, — *la pauvre, je la plains* — et deux gosses.

Intéressant, voilà la carte à jouer pour qu'il crache les infos dont j'ai besoin. D'après le détective, il est très amoureux de son épouse et accompagne autant qu'il le peut ses enfants à leurs activités hebdomadaires. Il est peut-être laid, mais c'est un bon père de famille, il a au moins ça pour lui. De ce que je vois, il sort chaque jeudi soir dans un bar avec ses hommes et retrouve par la même occasion, Massimo. Je suppose que c'est à ce moment-là qu'il donne les ordres à mon gus. Je vais donc profiter de cette rencontre pour avoir des nouvelles fraîches. Ça me laisse deux jours pour me préparer. En descendant le document avec l'aide de ma souris, je vois les habitudes de la petite famille de ce rat d'égout. Ça va être simple de m'approcher de sa précieuse bien-aimée et de sa progéniture. Je vais les piéger et les enfermer dans un endroit qui me permettra de les garder tranquilles sans être dérangée. Anthonio devra me donner les renseignements que je veux s'il souhaite les revoir vivants, enfin c'est une façon de parler. Il va crever, mais ça, je ne vais pas lui dire tout de suite.

Je passe la journée du lendemain à chercher un endroit discret et éloigné pour garder les trois membres de la famille de cette sous-merde. Il me faudrait trouver une vieille bergerie ou un bâtiment du même genre, il y a toujours de belles poutres et poteaux sur lesquels accrocher mes proies.

Je quitte ma chambre et je prends l'ascenseur pour descendre dans le parking souterrain de l'hôtel. Je monte dans ma voiture et je quitte la ville pour prendre la direction de la campagne. Je n'ai pas de lieu particulier en tête, je vais découvrir la région et voir s'il y a des endroits propices à mon plan de gardiennage. Il doit bien y avoir des bâtiments non occupés ou à l'abandon. Il y en a toujours.

Après avoir parcouru plusieurs routes, je crois bien avoir trouvé mon bonheur. Au bout d'un chemin de terre, je déniche une cabane en bois qui ne semble pas avoir vu de monde depuis un bon bout de temps. Si j'en crois la hauteur de la végétation qui arrive au niveau des fenêtres et du bois terne et fatigué qui tient par je ne sais quel miracle. Le toit est à moitié écroulé, j'aperçois même un arbre sortir entre les tuiles restantes.

Après l'observation des environs, je ne vois aucune âme qui vive. Je sors de mon véhicule, écrase les herbes folles et me dirige vers la porte entrouverte. Celle-ci est difficile à ouvrir complètement, tellement elle est grippée. J'entre et déchante vite, car je ne suis plus très sûre que cette bâtisse fasse l'affaire, elle est trop abîmée pour pouvoir y enfermer trois personnes.

Fait chier !

Une demi-heure plus tard, je crois que c'est le bon endroit. Une clairière éloignée de la civilisation sur laquelle se trouve une baraque de chasse. Je compte l'occuper uniquement deux jours, il ne devrait pas y avoir de monde qui vienne fouiner et encore moins en semaine. De toute façon, je ne compte pas m'éterniser ici.

La partie la plus facile est faite. J'ai mon lieu de détention maintenant, je dois trouver comment les convaincre de me suivre. Une idée prend place dans mon esprit et je sais qu'elle va fonctionner à merveille. J'enregistre sur le GPS ma position afin de pouvoir la retrouver puis rentre à mon hôtel.

Le lendemain matin, après avoir volé une paire de plaques d'immatriculation sur un véhicule dans le parking sombre. Je les installe à la place de celles de l'agence de location, je ne vais pas risquer de me faire prendre. Je ne suis pas novice. Une fois prête, je pars en direction de la maison de ce fumier d'Anthonio afin de récupérer ma monnaie d'échange pour obtenir les informations dont j'ai besoin. Les deux filles de la famille sortent de l'habitation avec leur sac d'école sur le dos. Je baisse le pare-soleil et m'observe dans le miroir, ma perruque noire est en place et cache la moitié de mon visage. Baissant les yeux sur mes habits, je suis satisfaite, il n'y a pas plus banal qu'un top blanc et un short noir. Je suis passe-partout, personne ne fera attention à moi, c'est certain.

J'approche mon véhicule et m'arrête à leur niveau pour leur parler. Elles sont surprises et apeurées en voyant la voiture se stopper, mais mon sourire les déride un peu.

— Bonjour les filles, désolée de vous faire peur, mais c'est votre père qui m'envoie. Il ne veut pas que vous alliez à l'école seules à cause d'un souci à son travail. Vous comprenez ?

— Vous êtes qui ? On ne vous connaît pas. Si y'avait vraiment un problème, c'est maman qui nous aurait prévenues et pas une étrangère, me répond la plus grande.

— Je suis une amie de Mr Costa, vous le connaissez, non ? Votre père ne peut pas vous contacter, car il n'est pas joignable. C'est pour cette raison que je suis venue, les informé-je.

— Mr Costa ? Si c'est lui qui vous envoie, alors on doit faire ce qu'il dit. Papa nous a dit de toujours écouter ses ordres, car c'est son chef. C'est pour de vrai ? Vous ne nous mentez pas, n'est-ce pas ? m'interrogent les deux gamines la mine apeurée.

— Je n'ai pas pour habitude d'effrayer les enfants des collaborateurs de Mr Costa, il ne me laisserait pas en vie si je faisais ça. Vous êtes de bonnes filles. Montez à l'arrière de ma voiture, d'accord ?

— Oui, madame. Maman est au courant ? s'inquiète la petite.

— Bien sûr !

Dès que les filles sont sur les sièges arrières, je leur tends une bouteille d'eau chacune. Je les fais boire sous prétexte que ça leur fera du bien après avoir eu peur. Elles tombent dans les bras de morphée en quelques minutes. Et de deux, plus qu'une à choper. Je démarre et pars dans un coin tranquille loin des yeux indiscrets et passe un coup de fil à leur mère.

— Bonjour, je vous appelle, car vos filles ont eu un accident, rien de grave, juste quelques égratignures, cependant je pense qu'il vaudrait mieux que vous les ameniez voir un médecin pour vérifier. Pouvez-vous nous rejoindre à côté de l'église à quelques rues de chez vous. Elles me disent que c'est celle dans laquelle vous allez tous les dimanches. Je suis désolée, mais comme je ne suis pas d'ici, je ne connais pas trop le coin.

— Oh, mon dieu, j'arrive dans cinq minutes.

Trop facile, elle se jette dans la gueule du loup. Même si elle prévient son enfoiré de mari, il sera trop tard pour lui de les retrouver. En tant que mère, elle ne voudra pas laisser ses enfants loin d'elle.

Seulement quatre minutes et trente-deux secondes, c'est le temps qu'elle a mis pour nous rejoindre. La mère inquiète gare sa voiture à côté de la mienne, sort en trombe et me rejoint. La peur lui fait augmenter le débit de ses paroles, j'ai un peu de mal à la comprendre. Mon niveau d'italien est bon, mais, comme je ne le pratique pas assez, c'est compliqué de tout traduire. Je lui explique qu'elles se reposent à l'arrière de ma voiture, elle se précipite vers la portière et l'ouvre. En découvrant ses précieuses fillettes, pieds et poings liés, elle stoppe net ses mouvements, comme une biche aveuglée par des phares. Je profite de sa réaction pour lui injecter directement dans la jugulaire un puissant anesthésique. Elle s'écroule la tête la première contre la carrosserie. Je la relève difficilement et la place à côté de ses enfants, l'immobilise de la même manière. Je les attache avec les ceintures de sécurité, place une légère couverture sur leurs genoux afin de cacher leurs mains et leurs jambes. Dès que c'est chose faite, je pars les déposer dans la cabane repérée hier. J'ai besoin de tranquillité pour la suite de mon plan.

Que la fête commence.

Chapitre 19

Après une heure et demie de route, je prends le chemin qui mène à la bâtisse. Plusieurs centaines de mètres à nous faire légèrement secouer sur les cailloux puis apparaît enfin la clairière sur laquelle est posé les rondins de bois qui forment le bâtiment. Je lance un regard dans le rétroviseur intérieur pour observer mes passagères, elles dorment à poings fermés, et vu la dose qu'elles ont eue, le sommeil n'est pas près de les quitter.

Je me gare à l'arrière pour ne pas être visible, on ne sait jamais si quelqu'un décidait de passer par là. Descendant de la Fiat, je fais le tour du propriétaire afin de vérifier qu'il n'y a pas eu de visiteur depuis mon repérage d'hier. Pas de traces autres que les miennes, je devrais être tranquille le temps de mon opération «*Anthonio crache les infos*». Je crochète la serrure, puis je repars à ma voiture, j'ouvre la portière arrière et détache la ceinture de sécurité de la mère. Avec force, mais difficulté, j'arrive à l'extraire de l'habitacle, elle n'est pas très lourde, mais ça reste un poids mort dans un espace réduit. Je traîne le corps sur le sol gravilloné jusqu'à ce que j'atteigne la porte située à l'arrière du bâtiment. Je dépose la mère de famille, puis je fais de même avec les deux petites poupées avant de fermer derrière moi.

Je me mets en mouvement, je dois attacher en plus, mes trois prisonnières pour être sûre que tout se passera comme je l'ai décidé. Observant de plus près la pièce que j'ai vue hier à travers les fenêtres, je choisis de les disposer en triangle et de les relier entre elles par les bras autour d'un poteau en bois.

Même si elles se réveillent, jamais les trois membres de la famille d'*Anthonio le rat* ne pourront s'enfuir. Il est temps de faire une photo de la scène. Je tourne les têtes des petites ainsi que celle de la mère afin de bien voir leurs visages, puis je dispose un exemplaire du journal du jour contre le ventre de la femme. C'est presque attendrissant de voir cette image- enfin, si on oublie les visages blafards et endormis —, Anthonio va apprécier cette vision, j'en suis convaincue.

Après avoir vérifié les fixations puis place des bouts de tissus dans leurs bouches pour les empêcher de crier. Une fois satisfaite, je referme le battant et m'en vais. Anthonio occupe dorénavant toutes mes pensées, je vais devoir la jouer fine pour l'approcher, car Massimo Costa sera dans les parages. Il ne doit pas me repérer, je dois rester dans l'ombre pour l'instant, l'heure d'éliminer Massimo viendra, mais pas maintenant. Mon plan se met en place tout doucement, je ne dois pas me précipiter.

Sur la route je m'arrête dans un magasin de bricolage pour effectuer quelques achats qui me sont indispensables pour mon rendez-vous avec Anthonio. Peu avant treize heures trente, j'arrive à mon hôtel, je vais pouvoir me reposer cet après-midi. Je veux être au top de ma forme ce soir. Il est le premier maillon qui me mènera à l'étape supérieure : Massimo Costa. Tout doit se passer comme je l'ai prévu, il n'y a pas de place pour l'improvisation.

Après avoir pris mon temps pour me grimer, je suis méconnaissable. Maquillée comme un pot de peinture, vêtue d'un haut et une jupe minimaliste, je ressemble plus à une prostituée qu'à une fille de bonne famille. À vingt-deux heures, j'arrive devant un bar-restaurant gardé par deux gorilles. Ceux-ci, voyant que je souhaite entrer, me barrent le chemin et me disent que c'est complet. Je comprends alors que ce soir c'est réservé aux membres de la mafia pour -je l'imagine-leur réunion.

— Je sais que je ne peux pas aller à l'intérieur, mais j'ai besoin que vous me rendiez un service.

— Ça ne va pas être possible poupée, nous ne pouvons pas quitter notre poste.

Mon accoutrement me fait paraître pitoyable. Cependant le « *poupée* » a du mal à passer. Je me retiens de lui foutre mon poing dans la gueule. Il se croit supérieur à moi par ce qu'il est videur ? Quel abruti de macho à la con.

— C'est la femme d'Anthonio Riviera qui m'envoie, c'est très important, supplié-je le connard arrogant

— Je suis désolé, mais je ne peux rien faire.

— C'est une question de vie ou de mort ! Si vous ne faites rien pour le prévenir, il risque de ne pas s'en remettre et vous allez sûrement en payer le prix également, argumenté-je en lui faisant comprendre qu'il risque de gros problèmes s'il ne fait pas ce que je veux.

Je fais la femme apeurée et inquiète. Je vois à leurs regards que mes paroles ont fait mouche quand le second se rapproche de moi.

— Que souhaitez-vous lui dire ? Je ne peux pas vous laissez entrer, cependant faire passer un message de votre part, ça c'est possible.

— Dites-lui de me rejoindre à ma voiture, la Fiat 500 rouge là-bas et que ça concerne Maria. Elle a de gros ennuis. Surtout, il ne doit en parler à personne. C'est pour la sécurité de sa femme.

— Très bien. Je vais le prévenir, me dit-il avec de la méfiance dans les yeux.

— Merci beaucoup monsieur.

Je repars à mon véhicule sur lequel se trouvent des plaques volées, je m'observe dans le miroir du pare-soleil pour vérifier que ma perruque cache toujours mon visage et qu'elle n'a pas bougé. Même si on cherche à me retrouver, il ne sera pas facile d'y parvenir.

Quelques minutes plus tard, je vois Anthonio sortir le regard inquiet et chercher mon bolide des yeux. Un des gorilles lui montre du doigt ma position. Il se précipite vers moi, je me penche et ouvre la portière côté passager. Par ce geste, je lui fais comprendre que je souhaite qu'il monte dans l'habitacle.

— Qui êtes-vous et où est ma femme ? Que lui est-il arrivé ? m'interroge Anthonio hargneux et inquiet à la fois.

— Je vais faire court, vous allez me suivre de votre plein gré sans faire de geste idiot, si vous souhaitez revoir votre chère Maria ainsi que vos deux filles en vie, lui dis-je d'une voix froide et meurtrière.

— Vous me menacez ? Vous savez à qui vous vous en prenez et pour qui je travaille ?

— Bien sûr que je le sais et franchement c'est pour cette raison que vous vous retrouvez dans cette position.

— Qu'est-ce qui me prouve que vous détenez ma famille ?

— Vous avez cherché à joindre *votre Maria* si j'en crois votre présence ici. Elle n'a pas répondu n'est-ce pas ? affirmé-je avec un plaisir non dissimulé sur le visage en tenant le smartphone de sa femme.

— Ça ne prouve rien, vous avez très bien pu lui voler son téléphone, me crache-t-il hargneux et peu sûr de lui.

Je prends mon portable et lui montre les photos que j'ai prises de mes prisonnières du jour.

— Que voulez-vous de moi ? hurle-t-il prêt à me sauter dessus.

Je sors mon flingue et le pointe dans sa direction. Cette menace est assez explicite pour qu'il comprenne que je ne rigole pas.

— Pour commencer, vous allez faire tout ce que je vous dis. Ensuite, nous allons aller les rejoindre, vous verrez qu'elles sont en vie et pour finir, nous aurons une petite discussion tous les deux.

— Qu'attendez-vous ? Je veux vérifier qu'elles vont bien et que vous ne leur avez pas fait de mal. Allons-y !

— Minute papillon, nous ne sommes pas pressés. Mettez ça autour de nos chevilles !

Je lui tends un grand lien autobloquant. Plus il tire sur la languette et plus sa liberté de mouvement se restreint. Impossible de le retirer à moins d'avoir un couteau, une pince coupante ou encore une paire de ciseaux. Quand c'est fait, il se relève et me regarde, attendant la suite.

— Les mains dans le dos, mon cher ami.

— Sérieusement ? me répond-il furieux.

— Ai-je l'air de plaisanter ? L'heure tourne, imaginez la peur de vos filles et de votre femme en se réveillant dans cette position.

— Très bien, dépêchez-vous, bordel !

Je pose mon arme derrière mon dos et fixe ses poignets ensemble, puis je serre jusqu'à ce que le plastique entre assez profondément dans sa chair. Je démarre la voiture, attache ma ceinture, reprends mon révolver et me rapproche des deux gorilles. Arrivée à leur hauteur, je stoppe le véhicule, baisse la vitre du côté de mon invité. Les deux gus se penchent pour nous regarder et s'interrogent sur mon arrêt inattendu. Ils n'ont pas le temps de comprendre quoi que ce soit, qu'ils reçoivent chacun une balle entre les yeux. Avant que le corps du deuxième ne touche le sol que je démarre en trombe et quitte les lieux. Mon passager me regarde différemment après m'avoir vue abattre les deux videurs.

— À nous deux Anthonio, tu vas me dire tout ce que tu sais, si tu ne veux pas qu'il arrive la même chose à tes gosses.

— Oui oui, je vous dirai tout ce que vous voulez, mais je vous en prie, laissez ma famille.

Je prends la direction de la baraque de chasse, le sourire aux lèvres.

Chapitre 20

À peine quelques kilomètres après notre départ précipité, Anthonio commence déjà à jouer l'inspecteur de police. Il m'interroge sur notre destination, l'état de sa famille, ce qui ne lui apporte rien d'autre qu'un coup de crosse sur sa tempe et l'envoie dans les vapes. Ce n'est pas à lui de poser des questions, mais bien l'inverse et ça, il va vite le comprendre.

Quand nous arrivons, je le réveille en lui infligeant des claques sur le visage.

— On se lève la belle au bois dormant, c'est fini la sieste, dis-je en lui criant dessus et en le secouant fortement.

Il revient vite à lui dans un premier temps, il semble quelque peu perdu, se demandant où il se trouve. Ses yeux cherchent à reconnaître leur environnement tandis que ses sourcils se froncent. Quand sa mémoire se remet en marche et qu'il réalise que, non, ce n'est pas un cauchemar, mais bel et bien la réalité. Son regard change. Il devient, en l'espace d'une seconde, apeuré avant de se reprendre. Si je ne l'avais pas observé à cet instant, je ne l'aurais pas remarqué et malgré tout, cette faiblesse camouflée me met du baume au cœur. C'est bien, il sait qu'il est en danger, même s'il essaie lamentablement de le cacher.

Je sors de la voiture que j'ai garée à l'arrière du bâtiment, puis ouvre sa portière et détache sa ceinture. L'abruti tente de me donner un coup de boule, cependant comme je m'étais préparée à ce genre de comportement, une fois arrivés sur place, j'ai paré le coup en lui mettant mon coude dans la trachée. Il tousse comme un fumeur de Gauloises et me lance un regard plein de fureur. Je ris face à cette manœuvre infructueuse.

— Tu me prends pour une débutante, hein ?! Pas de bol pour toi le rat d'égout, j'ai buté plus de monde que tu ne le feras jamais. Allez le rigolo, on y va. J'espère que tu sais avancer en sautant, car je ne compte pas libérer tes pieds de leurs entraves.

— Pétasse, tu vas crever et je ne dirai rien. Tu peux me tuer tout de suite !

— C'est ce qu'on verra, Anthonio je peux te jurer que tu vas me dire tout ce que je souhaite. Tu sais pourquoi ?

— …

— Si je n'entends pas le son de ta voix, tu entendras celui de ta femme ou de tes filles quand je les torturerai et découperai des morceaux de leurs corps sous tes yeux. Maintenant debout et avance avant que je ne te mette mon poing dans ta gueule, connard !

Le voir sautiller me fait éclater de rire, heureusement que je maintiens son bras en tenant son coude, sinon il serait déjà face contre terre. Je reconnais que ce serait drôle à voir, mais le temps presse. Quand j'ouvre le panneau de bois, on ne voit rien à l'intérieur, on entend seulement les cris étouffés par les morceaux de tissu, malgré tout cela suffit à Anthonio pour stopper ses gestes. Il a compris que sa famille était dans la pièce. Je le balance depuis le pas de la porte sur le sol froid sans crainte qu'il ne s'enfuie.

Je retourne à mon véhicule, chercher quelques outils dans le coffre ainsi qu'une lampe de poche. Lors de mes petites emplettes, je me suis acheté une perceuse à batterie, un marteau, un chalumeau et d'autres joujoux sympathiques qui m'attendent bien sagement.

La nuit étant bien installée, je me dépêche, car au lever du soleil, je dois être repartie. Le risque d'être découverte est assez grand, vu que je ne connais pas les habitudes des chasseurs concernant les allées venues dans cette cabane.

En me guidant à l'aide de la lampe torche, j'éclaire mon chemin, pose mes instruments et la lumière sur la table. Je récupère Anthonio sur le sol, le relève à la force de mes bras et le traîne jusqu'au centre de la pièce. Je prends une chaise, la positionne de façon à ce qu'il puisse voir sa famille et le force à s'asseoir. Il essaie de parler à sa précieuse famille tout en se débattant, mais ma poigne l'empêche de bouger tandis que les bâillons étouffent les mots, alors tout ce qu'on peut entendre sont des bruits de pleurs.

— N'est-ce pas super cette réunion de famille ? ironisé-je

N'attendant pas de réponse de la part de mes prisonnières, étant donné qu'elles ne peuvent rien dire grâce au tissu qui obstrue les sons de leurs voix. Je fouille dans les tiroirs afin de trouver de quoi éclairer un peu plus cette pièce obscure. Je finis par trouver plusieurs bougies et un briquet. Je place dans plusieurs endroits les chandelles apportant une source lumineuse convenable. Cela me permet, ainsi qu'à mes invités, de pouvoir observer tout ce qui se passe dans la pièce ainsi que ses occupants. Je me place en face de mon nouvel ami et lui lance un regard mauvais, alors que lui, il observe de plus près les femmes de sa vie à la recherche de blessures. Quand il voit les mines douloureuses que font ses filles, il crispe les mâchoires. Durant son observation méticuleuse, j'ai sorti d'autres liens pour le forcer à rester tranquille sur la chaise. Je détache ses poignets afin de passer ses bras derrière l'assise, puis je les immobilise de nouveau. Je procède de la même manière pour bloquer ses chevilles avec les serre-câbles sur les pieds de la chaise.

— Bon, si on bavardait un peu tous les deux ?

— Va te faire foutre pétasse, je vais te buter.

— Ohhh ! Anthonio, arrête de me faire rire, veux-tu ? Je ne vois pas vraiment comment tu pourrais me faire quoi que ce soit dans ta position. Même si tu n'étais pas attaché, je te battrais, je n'en suis pas à mon premier rodéo.

— Je ne te dirai rien !

— Très bien, pas de soucis, je te comprends, tu es loyal envers ton patron. C'est rare de nos jours de trouver ce genre d'employés. Dans ce cas, je vais devoir t'expliquer les règles, *mes règles*.

— Ça ne changera rien.

— À chaque silence de ta part, je m'en prendrais à ta famille. Par qui je commence ?

— Ne les touchez pas !

— OK, je vais attaquer avec ta femme et lui couper un doigt. L'annulaire pour commencer, car quand j'en aurais fini avec elle. Je peux te jurer que Maria ne voudra plus avoir affaire avec toi et encore moins rester mariée au type qui lui a infligé ça.

— C'est vous qui allez lui faire du mal, pas moi !

— Bien sûr que si, c'est en ne disant rien, qu'elle va subir. Tu choisis ton patron à ta femme donc…

— …

Il ne semble pas vouloir parler, cependant son regard le fait pour lui. Il exprime de la crainte, mais également de la rage.

S'il pouvait me faire la peau, je serais six pieds sous terre, enfin encore faudrait-il qu'il réussisse à me toucher. Ah ahah !

— Toujours pas prêt à me donner d'os à ronger ?

— …

— Cool, allez Maria c'est parti !

Je prends deux grands torchons dans un tiroir de la cuisine puis repars en direction des fillettes. Je cache leurs regards, ne souhaitant pas devoir sentir leurs yeux sur moi pendant que je travaille et qu'elles observent le résultat de ce qu'elles vont entendre. Je ne tue pas les enfants, je les protège, mais ça, il n'y a que moi qui suis au courant. Je vais prendre une pince coupante dans la sacoche pleine d'outils. Je me place devant Maria coupe les liens qui la retiennent à ses filles puis la place à genoux devant Anthonio. Elle le regarde les yeux remplis de larmes, dans l'espoir qu'il m'arrête en me donnant ce que je veux, malheureusement pour elle, ce lâche baisse les yeux.

— Je suis désolé Maria, je ne peux rien dire, j'ai juré de ne jamais divulguer d'informations.

— Mmmmmm mmmmm

— Je vais traduire, car je pense savoir ce qu'elle veut te dire. Tu as juré devant dieu de toujours la protéger. Tu n'es qu'une merde ! Ça c'est de moi et c'est cadeau. Maria, je n'ai rien contre toi, seulement j'ai besoin de renseignements pour venger mon mari.

Attrapant la main gauche de cette pauvre femme effrayée, je sépare ses doigts puis positionne la pince de chaque côté de son annulaire. Je regarde Anthonio dans les yeux, puis sectionne le doigt de sa femme sans sourciller. Son hurlement de douleur, mélangé à ses larmes qui coulent sans discontinuer, font monter ma rage en flèche. Ces pauvres enfants ne voient rien, mais elles entendent bien que je procure des souffrances à leur mère. Leurs imaginations marchent à plein tube. Ce connard préfère voir sa femme souffrir et traumatiser ses enfants plutôt que de balancer son patron. Il croit quoi ? Que je vais le libérer après cette soirée ? C'est hors de question et il le sait alors pourquoi garder le silence ?

Va comprendre.

La nuit de cette pauvre Maria va être longue.

Chapitre 21

Je ramasse le bout de doigt au sol, puis je m'approche d'Anthonio. Voyant qu'il ne souhaite pas voir sa femme souffrir, je le force à relever sa tête et l'oblige à regarder ce que je lui mets sous ses yeux. Il tente de reculer, mais la chaise l'en empêche. Son visage devient blafard avant qu'il ne se mette à vomir ses tripes.

— Tu travailles pour la mafia et tu fais ta chochotte pour un doigt coupé ? Putain, tu me fais pitié !

Je me retourne et rejoins Maria. En l'observant de plus près, je découvre que son teint est devenu blanc, suite à l'ablation de son annulaire et passe à translucide à la vue du morceau de chair rougi par son sang que je tiens toujours.

— Tu n'as pas de chance d'être mariée à un connard qui préfère sauver la vie de son chef plutôt que la tienne. Ma pauvre Maria ! Ça ne te dérange pas que je lui rende son alliance à ta place ?

Le choc de ma première action à son encontre l'a rendue muette. Je ne lui en veux pas, la douleur qu'elle est actuellement en train de ressentir ne peut que la laisser sortir des larmes et des pleurs. Je jubile de voir l'air désavoué d'Anthonio, à croire qu'il ne me prenait pas au sérieux et que je bluffais. C'est mal me connaître, mais ça, il vient de s'en rendre compte. Ne voulant pas qu'elle perde connaissance, je pose son doigt sur le sol et décide de stopper l'hémorragie en bandant sa main. Après être sûre qu'elle va rester éveillée, je ramasse l'annulaire puis repars voir son mari.

J'enlève la bague et l'observe de plus près, le radin n'y a pas mis beaucoup d'argent. Son avarice va lui être rendue de façon brutale. Je découpe les vêtements qui recouvrent la partie supérieure de son corps. J'attrape le chalumeau et le mets en route. Prenant une poignée de cheveux, je place sa tête en arrière, me donnant ainsi une vue dégagée sur son cou. La peur le fait déglutir de façon répétée. Voir sa glotte monter et descendre m'hypnotise quelque peu. J'aime observer les effets qu'inspire la terreur sur les corps de mes victimes, c'est tellement grisant. Je resserre ma prise et rapproche la flamme de son visage, puis descends jusqu'à ce qu'elle entre en contact avec son ventre. Les hurlements commencent avant même que la peau frémisse et ne brûle. Il me faut toute ma force pour contenir les mouvements d'évitements d'Anthonio qui cherche à se défaire de la chaleur incandescente de la flamme. L'odeur caractéristique de la chair cramée est agréable.

J'adore le cochon grillé !

Je m'arrête quand un trou est formé dans son abdomen. J'éteins le chalumeau que je repose sur la table et prends l'alliance souillée de sang que j'insère dans la cavité que j'ai créée. Je le force symboliquement à avaler la preuve de son incapacité à tenir ses engagements envers sa femme. La douleur que je lui inflige est telle qu'il est à deux doigts de tomber dans les vapes. J'aime tellement faire souffrir qu'il n'est pas question qu'il se repose. Je vais chercher dans la cuisine de fortune une casserole que je remplis d'eau glacée. C'est l'inconvénient de travailler dans des cabanes isolées, il n'y a pas d'eau courante. Hier en faisant mon repérage, j'ai vu qu'il y avait des bidons d'eau dehors. Je sors donc rapidement chercher ce qu'il me faut.

Quand le liquide entre en contact avec la plaie brûlante, la réaction ne se fait pas attendre. Il hurle, toute volonté de sombrer dans le sommeil s'est évadée. Le corps réagit aussitôt, de la fumée sort du petit cratère que j'ai créé. L'effet chaud/froid est la pire sensation qu'il pouvait imaginer ressentir aujourd'hui.

Eh oui, mon petit bonhomme, je suis une sadique.

Je ris toute seule, tellement c'est jouissif. Une thérapie ne m'aurait pas aidée à aller mieux, mais être ici et choisir cette façon d'avancer, oui.

— Alors Anthonio, si on bavardait tous les deux. Maintenant qu'on a mieux fait connaissance, les discussions seront plus faciles entre nous. Tu ne penses pas ?

— Va…te…faire…foutre salope, murmure-t-il avec beaucoup de difficultés.

— Rhoo, tu me déçois, moi qui nous pensais proches dorénavant. Tu ne souhaites tout de même pas que j'éventre tes enfants sous tes yeux, rassure-moi ?

— Ne les touchez pas ! Elles sont innocentes, hurle-t-il avant de vomir.

— Toi et Costa, non et pourtant vous êtes encore en vie. Provisoirement, car je compte bien remédier à ça. Toutes les vies que vous prenez chaque jour ne vous font pas ressentir de culpabilité, alors pourquoi en aurais-je envers tes filles ?

— Je vous dirai ce que vous voulez savoir, mais je vous en conjure, laissez partir mes enfants.

— Sympa pour Maria, tu ne penses même pas à la sauver. Quel mauvais mari tu fais !

— Non, non, elle aussi, s'il vous plaît.

— Tu vas me dire ce que je veux savoir sur Costa ?

— Oui.

— Je te préviens que si je sens un mensonge dans tes réponses, le sang risque de couler des précieuses petites veines délicates de tes fillettes.

— Je vous jure de vous dire tout ce que je sais.

— Tu as intérêt mon petit gars. Je n'aime pas perdre mon temps.

Je vais enfin pouvoir en savoir plus sur ce connard, il n'est pas simple à approcher d'après les informations que j'ai. Que la partie commence !

— Où habite Massimo ?

— Dans les quartiers chics, deux maisons après celle de M. Flores, mais il n'est pas souvent chez lui. Il dort régulièrement chez ses coups d'un soir ou alors dans son bureau au QG. Vous avez bien remarqué ce soir, qu'on n'y entre pas comme on veut.

— Où sort-il habituellement ?

— En dehors du boulot, les vendredis soirs, il aime aller dans un entrepôt dans les quartiers sensibles pour participer à des combats clandestins. Le samedi, il traîne dans la boîte de nuit du grand chef. Il y repère les salopes avec lesquelles il va baiser. Enfin ça, c'est s'il n'a pas de travail de la part de M. Flores.

— Une liste de personnes qu'il fréquente de façon habituelle ?

— Non, c'est un solitaire qui ne pense qu'au clan et aux femmes. Il est bien trop méfiant pour se lier à qui que ce soit. Même ses coups d'un soir sont fouillées avant de l'approcher.

— Intéressant. Quoi d'autre à m'apprendre sur lui ?

— Il est très dangereux, expert en armes, quelles qu'elles soient et surtout tue toute menace envers lui ou les affaires qu'il gère. Il va vous faire regretter d'être venue au monde, je m'en réjouis d'avance.

— Tu connais, la tueuse à gages qui travaille sous le pseudo « *la veuve noire* » ?

— Qui ne la connaît pas ? Elle est mondialement connue. Vous ne lui arrivez pas à la cheville !

— Tu seras ravi d'apprendre que tu l'as rencontrée en vrai avant de mourir.

Son regard change et devient apeuré, quand il comprend ma dernière phrase.

Eh oui mon petit, tu vas crever des mains d'une célébrité dans le monde qui est le nôtre.

Je lui tranche la gorge et le laisse se vider de son sang. Maria hurle de douleur en voyant que je viens d'éliminer son cher et tendre mari. Elle devrait plutôt me remercier de l'avoir délivré d'un mariage pourri. Qui voudrait être avec une merde pareille ? Franchement, il ne valait pas toutes les larmes qu'elle est en train de verser. Quelle ingrate ! J'attrape une seringue remplie de produit anesthésiant mélanger à du GHB et injecte le produit à Maria ainsi qu'à ses filles. Un gros dodo et une perte de mémoire de cette journée, voilà ce qui va en résulter. Bien sûr, elle va se demander comment elle a perdu son doigt et après être passée aux urgences, Maria va sûrement aller chez les flics. Pas de chance pour elle, je ne compte pas laisser de traces de mon passage dans leurs vies. Je les détache et les emmène à ma voiture. En ce qui concerne Anthonio, je n'en ai pas encore fini. Je sors une bâche du coffre et la place à côté du cadavre, je bascule le corps dessus puis l'enroule à l'intérieur. C'est avec beaucoup de difficultés que je referme, avec de la corde à chaque extrémité. Je compte bien offrir le paquet à Flores pour lui faire passer un message.

Je suis là et tu vas payer.

Je tire sur un nœud que j'ai serré à l'avant de la papillote de viande froide et l'emmène à l'arrière de mon véhicule. Je tends une autre bâche dans celui-ci, au cas où Anthonio pisserait encore le sang, je ne veux pas laisser de traces. Forçant sur mes muscles, je hisse le cadavre à l'intérieur. Je vais déposer le corps sans vie devant le portail de son patron, comme on déposerait un journal, puis je laisserai Maria et sa marmaille chez elle. À l'aube, j'ai peu de chance de voir quelqu'un.

Massimo Costa, tu seras le suivant, alors profite de tes derniers instants de vie.

Chapitre 22

Je me suis arrêtée quelques rues avant d'arriver à destination afin de vérifier que le masquage de mes plaques d'immatriculation est toujours intact avant de redémarrer.

Il serait dommage de me faire repérer maintenant, quand même.

Je me gare, un peu avant six heures du matin devant chez Flores. La rue est déserte, les lumières à l'intérieur des maisons sont éteintes. Je place la capuche du sweat que je porte sur ma tête et enfile une paire de gants, puis positionne ma voiture en marche arrière devant le portail. Je vérifie une dernière fois que personne ne puisse me voir, quand je suis sûre que le quartier est toujours endormi, je sors rapidement de l'habitacle. Je fonce jusqu'au coffre et descends, non sans difficultés, le cadavre. Sur la bâche, j'épingle une feuille sur laquelle, une phrase est écrite à l'ordinateur, « *ton tour viendra* ». J'entends des voix qui se rapprochent de moi, visiblement, j'ai fait trop de bruit, mais le poids mort de cet enculé m'a fait suer. Je ferme donc le battant puis rejoins l'avant de ma voiture et démarre en trombe. Mon excitation est à son comble, c'est dans ces moments-là que je me sens vivante. J'aime que l'adrénaline circule dans mes veines.

Une fois en sécurité et sûre de ne pas avoir été suivie, je me rends à mon hôtel pour récupérer mes affaires. L'heure de bouger est arrivée. Giovanni Flores ainsi que Massimo Costa vont être sur leurs gardes, il est donc temps de laisser retomber la pression sur eux pour quelques jours et partir. Je vais aller rendre visite aux trois exécutants proches du chef de clan : *Flores.* Des triplés que je vais m'amuser à détruire et tuer. Les frères Esposito gèrent chacun une des grosses villes du pays : Nino à Turin, Milo pour Rome et enfin Diego à Milan. Je garde le dernier pour plus tard. Il sera tout comme Giovanni et Massimo sur le qui-vive, je vais le laisser se sentir en sécurité pour quelque temps.

Après avoir pris une douche et fait mes valises, je vais rendre la clé de ma chambre, puis descends mes bagages jusqu'au parking. Il est huit heures trente quand je quitte l'enceinte de l'établissement hôtelier. Ma curiosité étant ce qu'elle est, je décide de faire un détour afin de passer dans la rue de Giovanni pour voir si mon cadeau a eu l'effet escompté. Je veux découvrir le changement s'opérer. Il se croyait intouchable par son rang de mafieux et que personne n'oserait s'en prendre directement à lui. Mon sourire grandit quand j'observe trois gardes placés autour de la propriété. Mr Flores craint pour sa famille et semble avoir pris ma missive au sérieux. C'est bien, ma réussite n'en sera que plus grande. Ce ne sont pas ses toutous qui vont m'empêcher d'atteindre mon but.

Je quitte la ville de Milan pour prendre la direction de Rome, je choisis volontairement la ville la plus éloignée pour ne pas éveiller les soupçons si j'attaque directement à seulement quelques centaines de kilomètres. Ça va me faire voyager et peut être même jouer à la touriste. Après tout, autant associer travail et plaisir. Avant de démarrer mon véhicule, je m'occupe des dernières démarches pour que mon trajet se passe en toute tranquillité. Après avoir entré ma destination, mon GPS m'indique qu'il y a cinq cent quatre-vingt-un kilomètres à parcourir. Je vais en avoir pour cinq heures de route. Je sors mon téléphone afin de réserver un hôtel pour cette nuit. L'avantage de séjourner dans des cinq étoiles, c'est qu'il est facile d'avoir une chambre, si vous en avez les moyens. Dès qu'on me confirme la réservation de ma suite, pour mon arrivée ce soir, je démarre le moteur.

Rome, me voilà !

Je m'arrête deux fois sur le trajet, une pour prendre un café bien serré et une seconde afin de manger un morceau. Le voyage est agréable, le soleil et la chaleur m'accompagnent, ça fait un bien fou de pouvoir rouler sans penser à autre chose que Tyron et les enfoirés qui l'ont flingué. Je me contente de découvrir les paysages, je réfléchirai plus tard à la suite de ma mission vengeresse, là je profite du calme relatif. Mon cerveau a besoin de faire une pause pour revenir plus fort après. J'arrive à destination vers quatorze heures trente, je ne suis attendue à l'hôtel que dans plusieurs heures donc, je me gare et pars me balader dans les rues commerçantes.

Quand je tombe sur un petit parc, j'y entre et m'installe à l'ombre d'un arbre. Sortant mes écouteurs que je connecte à mon téléphone, je lance une playlist et reste là à observer ce qui m'entoure. Regarder les enfants courir en riant me fait sourire, mais au fond de moi je pleure, car je n'aurais jamais de petit Tyron ou de petite Célia dans mes bras. Ce temps et révolu malheureusement. Quand je décide de partir, une petite fille tombe à mes pieds. Je retire mes écouteurs et l'aide à se relever.

— Tout va bien ? Pas de bobo ?

Putain, Célia ! Elle a au moins sept ans et non pas trois. Bobo ? Sérieux, elle doit se dire « *je ne suis pas un bébé* ».

— Non, ça va, merci. Désolée madame.

— Pourquoi t'excuses-tu ?

— Je vous ai embêtée et vous ai fait peur.

— Oh non, ne t'inquiète pas pour moi ma douce. Le plus important, c'est que tu ne te sois pas fait mal. Où sont tes parents ?

— Euh… je ne sais pas où est mon papa et ma maman est morte.

Euh OK, quel genre d'enfant balance de but en blanc le décès de sa mère à une inconnue ? Visiblement elle s'en est remise et a un tempérament fort pour réagir comme ça. Je n'ai pas vu de trace de tristesse dans son regard. Bizarre !

— Ah, euh… très bien. À quoi ressemble ton papa ?

— Giiiuuullliiiiiaaaaa, ma chérie, où es-tu ? crie un homme

— Ah, c'est mon papa qui me cherche. Il ne va pas être content. Je suis partie trop loin.

Je vois un homme grand courir dans notre direction, un appareil photo autour du cou. Plus il se rapproche et plus il me semble familier.

— Ma puce, où étais-tu passé ? Je te cherche partout depuis cinq minutes !

— Désolée papa, je courais après un papillon et je ne regardais pas où j'allais jusqu'à ce que je tombe devant la gentille dame.

L'homme se relève et m'observe droit dans les yeux, il doit se demander si je suis un danger pour sa fille. Moi de mon côté, je suis figée par son regard, mais pas que pour ça. Cet homme, je l'ai déjà vu en photo. C'est le frère de Giovanni Flores !

Je ne pensais pas tomber sur lui dans cette ville, il habite à Naples bon sang ! Je devais aller l'éliminer en dernier avant de rentrer en France. Maintenant que je le vois avec Giulia, je sais d'avance que je ne pourrai pas faire de mal à cette petite poupée. Rencontrer cette fillette me peine malheureusement, elle va devenir orpheline. Je dois tuer chaque membre de la famille de Flores. Ce photographe doit y passer aussi, même s'il y a peu de chance qu'il reprenne le flambeau. Je ne peux pas permettre au clan renaisse de ses cendres après mon départ.

Chapitre 28

La petite Giulia ne voulait pas partir avec son père sans que je ne les accompagne. Elle a dit à son père que j'étais « *cool et trop belle* » et qu'elle « *m'aimait bien* ». Nous avons été tous les deux surpris par ses paroles, ce qui est normal.

Cette gamine ne me connaît pas et si elle connaissait mon métier, Giulia me fuirait plutôt deux fois qu'une.

En montant dans mon véhicule pour me rendre à mon hôtel, je repense à la dernière phrase qu'elle m'a dite. « *On se revoit quand ?* » Je ne pensais pas faire une si grande impression à une enfant de sept ans en si peu de temps. J'avoue que ça m'a quelque peu perturbée, mais je suis partie en souriant à la petite, tout en évitant de regarder cet homme dans les yeux. Il faut dire qu'il est sacrément beau gosse et un brin sexy sur les bords. Je m'en veux de penser à ce Léandro de cette façon, Tyron est mort, il y a peu de temps et puis, c'est le frère de Giovanni donc je vais devoir le buter aussi dans pas longtemps.

Après un repas pris dans ma suite ainsi qu'une nuit de repos, je pars faire du shoping pour ma soirée, je dois absolument être irrésistible aux yeux de ma cible. Je dois être sexy. Milo Esposito a vingt-neuf ans et aime beaucoup sortir dans les bars et les boîtes de nuit. Les brunes ont sa préférence donc en ce vendredi soir, je vais être tout ce qu'il aime et je ferai tout ce qu'il faut pour l'approcher de près, de très près.

Je sors de plusieurs boutiques de luxe dans lesquelles je me suis acheté une robe bustier rouge, une paire de talons de dix centimètres, un collier accompagné de ses boucles d'oreilles. Je suis sûre que Milo va se retourner sur mon passage. Le but étant qu'il bave en m'observant, puis qu'il m'approche avant de m'offrir un verre. Ensuite, je mettrai tout en œuvre pour l'exciter et le séduire dans le but qu'il me ramène chez lui. Je pourrai à ce moment-là m'amuser à ma façon.

Un passage à la salle de bain quelques heures plus tard et me voilà en train de me préparer méticuleusement pour attirer Milo dans mes filets. Je commence par me sécher les cheveux et les attache, ensuite je prends la perruque et la pose. M'observant dans le miroir, je m'assure qu'elle est bien mise et qu'elle reste en place. Je continue ma préparation en me maquillant, puis pars dans la chambre pour m'habiller. Je mets un ensemble de sous-vêtements rouge, un soutien-gorge sans bretelles assorti d'un string. Enfilant mes bas autofixants transparents, je commence à me mettre dans le personnage que j'ai prévu de jouer ce soir. Je termine en passant la robe bustier et en enfilant mes talons. Je m'observe dans le miroir sur pieds placer dans la chambre. Je me trouve vraiment sexy donc je suis contente du résultat. Je prends ma pochette noire pour placer à l'intérieur mon téléphone portable, la clé de ma chambre, mon portefeuille ainsi que quelques préservatifs. J'espère ne pas avoir en arriver là, mais s'il le faut alors je ferai ce compromis pour pouvoir éliminer ce mâle qui n'est pas si désagréable à regarder.

À vingt-trois heures, je me gare à proximité de la boîte de nuit qu'affectionne particulièrement Milo. Je vérifie une dernière fois mon apparence et la bonne tenue de ma perruque, puis descends de ma voiture. En me dirigeant vers la porte, je me rends compte qu'il y a vraiment une queue énorme. Il va me falloir être patiente pour pouvoir accéder à l'entrée. J'observe un groupe de fille canons qui sort de la file d'attente, escorté par ce qui semble être un videur. Quand il me croise, il m'interpelle.

— Mademoiselle, ne restez pas dehors, rentrez et amusez-vous. Je suis en pause dans deux heures, on se croisera peut-être et avec de la chance nous pourrions danser sur un morceau où deux.

— Merci beaucoup beau gosse, j'espère qu'on se verra à l'intérieur dans ce cas.

Apparemment, il fallait de la chair fraîche pour faire marcher les affaires.

C'est mon jour de chance.

Je lui fais un clin d'œil puis pénètre dans l'antre du diable. J'espère le voir et attirer son attention, car même si je suis séduisante et sexy, les autres filles le sont tout autant.

Je commence par me rendre au bar afin de commander et me mettre dans l'ambiance. Je trouve une place assise, je m'installe dessus en me plaçant de trois quarts afin d'avoir une vue dégagée sur la piste ainsi que sur les nouveaux arrivants. Au bout d'une heure, je le vois arriver avec des amis, puis il se dirige vers l'accès VIP suivi de sa horde. J'attends encore un peu puis dès que je vois où est sa table, je me lève pour rejoindre la piste de danse en plein dans sa ligne de mire. La musique est sympa, rythmée et caliente pour certaines. *Love Nwantiti* de cKay résonne dans les basses, mon corps entre en résonance. Mes bras, mon bassin ondulent et mes jambes se mettent en mouvement d'elles-mêmes, je ferme les yeux en me laissant bercer par la chanson. Mes courbes se balancent lascivement et ne tardent pas à attirer les hommes en chaleur. Deux paires de mains se posent sur moi, un corps est positionné derrière moi, les paluches sur mes hanches. Le second place une de ses jambes entre les miennes et me rapproche de lui en me tenant la taille. Quand j'ouvre les yeux, je vois deux beaux mecs qui semblent bien se connaître.

Désolée les gars, les plans à trois ce n'est pas mon truc, de plus j'ai un gros poisson à ferrer.

J'observe ma cible qui regarde dans notre direction, j'intensifie mes mouvements, puis quand *La Fama* de Rosalia et The Weeknd résonne dans les enceintes, je repousse les deux glues qui ne me lâchent plus. Je recule un peu pour avoir de l'espace et commence à danser en regardant dans la direction de Milo sans le fixer directement. J'aime beaucoup cette chanson, alors j'en profite pour me déhancher au maximum tout en restant sexy, limite chaudasse, mais sans chercher l'attention des deux morfales que j'ignore, alors qu'ils bavent en me dévorant des yeux.

Je vois Milo se lever et venir vers la piste de danse. Un des crève-la-dalle, se met à me coller de nouveau en pressant son sexe bandé contre mon cul. Oh, mon dieu, que c'est ridicule de faire ce genre de chose, si j'étais intéressée par lui il le saurait. Comment me débarrasser de la bite ambulante sans foutre mon plan en l'air avec Milo ?

Justement, le voilà qui se rapproche de moi, quand il arrive à ma hauteur, je saute sur l'occasion. Je fonce sur lui et enserre mes mains derrière son cou. Mon arrivée surprenante ou pas, ne semble pas le déranger, car il me prend dans ses bras. Il sent bon ce con !

— J'ai besoin de votre aide, les deux pots de colle ne me lâchent pas, vous êtes d'accord pour que je me serve de vous et de votre corps, quelques minutes ? Juste le temps qu'ils comprennent, qu'ils ne font pas le poids face à un homme de votre charisme.

— Allez-y, profitez de la marchandise, mais à condition que j'en fasse de même ! me susurre-t-il au creux de l'oreille avec une voix suave.

— Tout ce que vous voulez ! lâché-je avec un air désespéré en regardant en direction des deux couillons.

Que ne faut-il pas faire pour arriver à ses fins !

Comme si j'étais une pauvre petite chose sans cervelle.

Tant mieux s'il me croit complètement conne, ce sera plus facile de lui faire croire qu'il a réussi à trouver une chatte docile et débile.

— Dans ce cas, dansons collés-serrés, belle inconnue.

Le titre *Pepas* de Farruko commence. Le rythme latino nous aide bien, je joue de mes charmes et de mes formes pendant que lui en profite pour me coller à son buste musclé. Les frottements de nos corps l'un contre l'autre, nous donnent chaud et me transforment en chatte en chaleur. Mes seins se tendent dans sa direction et mon vagin s'humidifie, quant à lui, son sexe grossit et son regard se voile à cause de l'excitation. À la fin de la chanson, je sors de ma transe, recule d'un pas. Je remarque que les deux mecs ont disparu à mon plus grand soulagement. Je remercie Milo, ensuite je me rends dans les toilettes. Je dois mettre de la distance entre nous pour qu'il me revienne de lui-même.

Vu comme il bande, il ne va pas traîner à me suivre.

Chapitre 24

J'ai à peine le temps de fermer la porte des wc de la boîte que Milo débarque et qu'il me pousse dans une cabine. J'entends le battant claquer, ses lèvres se posent brutalement sur les miennes sans que j'aie le temps de réagir. Il me dévore littéralement la bouche, ses mains parcourent mon corps en passant de ma poitrine à mes hanches, puis glissent sur mes fesses qu'il palpe avec vigueur. Dire qu'il est en rut serait un euphémisme ! Je fais de même et mesure l'effet que j'ai sur lui. Je touche ses bras musclés, puis ses abdominaux merveilleusement bien dessinés. Ma main gauche passe sous son tee-shirt tandis que la droite masse son érection par-dessus son pantalon.

M'attrapant à l'arrière des jambes, Milo me soulève et me colle contre la paroi de la cabine. Ses paumes remontent le long de mes cuisses puis filent sur mes bas, avant de finir leur course sur mes hanches. Ses lèvres se décollent des miennes, nous sommes à bout de souffle, son regard plein de luxure me chauffe.

— T'es bandante, putain ! J'ai rarement autant désiré une femme. J'ai trop envie de toi ! Il faut que je te prenne, maintenant !

Ne me laissant pas le temps de réagir, il m'arrache mon string d'un coup sec. Mon vagin se serre, le liquide à l'intérieur n'étant plus retenu par le tissu, coule le long de mes cuisses.

— T'es chaud, toi ! Mais, un petit coup ne me suffira pas mon grand. Le minimum pour moi, c'est jusqu'au matin, tu te sens capable de répondre à mon grand appétit ?

— Laisse-moi te baiser ici, ensuite je t'emmène dans mon appartement. Je veux te prendre dans toutes les pièces et dans toutes les positions possibles.

— Alors, au boulot, je veux voir des étoiles. Tu as des protections ?

— Ouais, dans ma poche, je sors toujours couvert.

— Magne-toi, j'en peux plus d'attendre !

J'ouvre son pantalon, baisse son boxer et libère de son carcan l'épaisse érection de Milo. Il enfile la capote, me soulève et s'insère dans ma chatte dégoulinante. Ça fait un moment que je n'ai pas eu de relations sexuelles, pas depuis

Tyron. J'avoue que je craignais ne pas pouvoir réussir à me lâcher, mais, Milo malgré son futur statut de cadavre est sexy, il a su m'exciter. Je prends ce moment pour ce qu'il est, du sexe sans attaches. Son physique de Dieu Romain m'aide grandement à me détacher. Nous laissons libre cours à la passion qui nous habite. Il accélère ses coups de reins, ma poitrine monte puis descend à un rythme démesuré, sa bite tape en plein dans mon poing G, ce qui fait monter de manière fulgurante un orgasme éclair, mais surtout puissant. Milo me rejoint quelques secondes après, me maintenant d'un bras contre son corps alors que l'autre est en appui sur la paroi. Plaçant sa tête dans mon cou, il reprend difficilement son souffle tout comme moi. De temps en temps, il dépose un baiser à la base de mon épaule. Quand nous respirons de nouveau de manière normale, il m'embrasse sur les lèvres, puis insère sa langue dans ma bouche. Ce baiser langoureux, fait resurgir une forte envie de recommencer, mais il s'arrête, pose son front contre le mien.

Pendant ce moment de flottement, la culpabilité que je ressens est à son apogée.

J'ai trompé mon mari.

Putain, j'ai même fait, durant l'acte, les comparaisons dans ma tête. Du genre « *Tyron fait ça beaucoup mieux* ». Ou encore « *Ce mec est plus doué pour me faire grimper au rideau dans cette position* ».

Je suis une salope infidèle qui a bien pris son pied.

Tyron doit me haïr pour ça.

— Je pourrais te prendre encore et encore ici, mais j'ai envie de te bouffer la chatte, déguster chaque centimètre de ton corps alléchant sur mon lit.

Je reprends mon rôle et mets de côté mes sentiments. Je pourrais m'auto flageller plus tard. Je dois me retrouver avec ce mec dans un endroit tranquille. Je décide donc de jouer la provocation pour accélérer le jeu.

— Rhabille-toi cow-boy, je ne vais pas tenir longtemps avant de te sucer, puis te chevaucher comme une amazone le ferait.

— Oh putain, on va chez moi, tout de suite !

Il remballe vite son matos, referme son pantalon puis abaisse ma robe. M'attrapant par la main, il nous fait sortir presque en courant des toilettes et nous quittons la boîte de nuit. Sur le parking, il m'entraîne jusqu'à sa voiture, une magnifique Porsche Panamera de trois cent trente chevaux. Il démarre son bolide, se penche, me roule une pelle d'enfer, puis nous quittons les lieux.

Quinze minutes plus tard, Milo gare sa voiture sur le parking d'une résidence sécurisée. Si je n'avais pas agi de cette façon, je n'aurais pas réussi à entrer dans le bâtiment aussi facilement que ça. Quand nous montons dans l'ascenseur, Milo me saute à nouveau dessus et me dévore la bouche. Il a tellement envie de moi qu'il est incapable d'attendre d'être chez lui. Je fais ce qu'il faut pour Tyron, donc je me laisse faire tout en donnant de ma personne. Je ne peux pas me mentir à moi-même, j'aime le sexe, seulement s'il n'y avait pas ma vengeance dans ma tête, je n'aurais pas approché un homme aussi peu de temps après le décès.

Me soulevant dans ses bras, j'enroule mes jambes autour de ses hanches, après je passe mes bras autour de son cou. Ses mains se posent sur mon cul puis en quelques secondes, il me plaque contre le mur. Son corps s'écarte légèrement de mon buste dans le but de passer une main entre mes cuisses. Il commence par me cajoler le clito puis deux doigts entrent dans ma chatte afin de me masser de l'intérieur. L'association des caresses en simultané me fait miauler de bonheur. L'ascenseur s'arrête juste avant que je ne jouisse, Milo me sourit, puis me murmure au creux de l'oreille qu'il n'en a pas fini avec moi.

Nous quittons l'espace clos, qui dorénavant sent le sexe, pour nous diriger vers son appartement. La porte à peine fermée, Milo me plaque dessus et se rue sur mes lèvres de nouveau. Nous reprenons là où nous nous sommes arrêtés quelques minutes plus tôt. Ses mains reprennent place sur ma poitrine puis d'un geste sec, il baisse le bustier de ma robe. Sa tête part dans mon cou, sa langue glisse le long de ma veine jugulaire puis descend jusqu'à ma lingerie. Il mélange baiser, morsure et léchage des parties tendres de mes seins. N'en pouvant plus, il décroche mon soutien-gorge d'un geste expert puis l'envoie voler dans les airs. Je profite du fait qu'il ne me touche plus pour lui enlever son tee-shirt. Mes mains dévalent le long de ses pectoraux puis descendent sur ses tablettes de chocolat jusqu'à arriver à l'orée de son pantalon duquel dépasse l'élastique de son boxer. En réponse à mon toucher, un son guttural sort de sa gorge. Son pénis quant à lui, tressaute à l'intérieur du tissu.

Mon initiative lui plaît et le galvanise. Il ouvre la fermeture éclair de ma robe puis la fait tomber à mes pieds. Je me retrouve devant lui avec pour seuls vêtements, mes bas ainsi que mes talons. Ce qu'il voit semble beaucoup lui plaire si j'en crois le regard qu'il laisse traîner le long de mes courbes. Sa pomme d'adam fait plusieurs aller-retour, il passe sa langue sur sa lèvre inférieure avant de la mordre. Ne voulant pas perdre de temps, je lui saute dessus, il me porte tout en m'embrassant, il nous guide jusqu'à sa chambre. Il me dépose délicatement sur son lit ensuite, il saisit ma jambe dans ses mains. Mon talon est retiré doucement puis Milo commence à déposer de tendres baisers sur la cambrure de mon pied, puis mon mollet et ensuite mon genou jusqu'à ce qu'il arrive à ma cuisse. Il lèche les contours du bas tout en l'attrapant entre ses dents afin de le faire dévaler le long de mon épiderme. Il répète l'opération de l'autre côté. Je me retrouve complètement nue devant lui alors qu'il porte encore ses fringues sur la partie inférieure de son corps. Je tente de me relever pour remédier à la situation, mais il m'en empêche. Mon buste est repoussé contre le matelas.

— Ne bouge pas, je vais te déguster. Je veux goûter ton nectar, je suis sûr que tu es délicieuse.

— Je veux te voir nu aussi, j'ai envie de te sucer, laisse-moi voir ton corps d'apollon !

— Patience…

Il me fait taire en m'embrassant avant de se diriger vers mon sexe. Après avoir léché mes seins, il prend mon clito dans sa bouche, puis suce ma petite boule de chair. Mon corps réagit aussitôt en réaction à cette caresse buccale, après sa langue longe mes lèvres. Elle s'insère à l'intérieur de ma chatte. Je suis obligée d'admettre qu'il est particulièrement doué pour faire des cunnis. Je prends un pied d'enfer. Un nouvel orgasme m'envoie la tête dans les étoiles rapidement. Le temps que je reprenne mes esprits, Milo s'est déshabillé et m'a rejointe sur le lit. Il attrape dans sa table de nuit une capote qu'il pose à côté de lui. Je profite de ce moment pour me placer entre ses cuisses pour prendre son membre tendu dans ma bouche. Sa réaction est immédiate, sa tête retombe en arrière. Un grognement bestial sort de sa gorge, ses mains atterrissent sur mes cheveux. Il voudrait me guider à sa façon, mais je ne le laisse pas faire. Je retire sa bite de ma bouche puis lui lance un regard d'avertissement. Il comprend le message, car il remet ses bras sur sa nuque. Je profite du fait qu'il apprécie ma gâterie pour saisir ma pochette pour en sortir une seringue. Je lui injecte ma potion magique dans la veine fémorale à l'intérieur de la cuisse. Le temps qu'il réagisse, je suis déjà sortie du lit. L'effet du produit et assez rapide, en quelques secondes, il lui est impossible de bouger ou d'émettre un son. Seuls, ses yeux peuvent suivre mes mouvements.

Maintenant, je vais pouvoir m'amuser avec lui, mais d'une autre manière...

Chapitre 25

Quand je suis certaine qu'il est complètement dans l'incapacité de se mouvoir, je vais faire un tour dans son appartement pour trouver ce qui va me servir. Je déniche un cutter, un casse-noix et un couteau effilé. Revenant avec tout mon attirail que je pose sur la table de nuit, je me place dans le champ de vision de Milo afin d'être sûre qu'il me voit bien.

— Milo, Milo, Milo… Tu es un coup d'enfer, mais tu es surtout un membre du clan de Flores. Tu sais pourquoi je vais devoir te tuer ?

— …

Le pauvre petit Milo est dans l'incapacité de me répondre. Ma décoction empêche les muscles de bouger.

— Tu as déjà entendu parler de Tyron Clayton ? C'était mon mari jusqu'à ce que ton patron et ce putain de Russe de Magomedov décident de l'éliminer du circuit. Alors je vais en faire de même, les clans de Giovanni Flores ainsi que de Pavel Magomedov vont disparaître de cette terre. Pas de bol pour toi, tu bosses pour l'un d'entre eux. Ne t'inquiète pas, tes deux autres frangins vont bientôt te rejoindre dans l'au-delà.

Je regarde Milo dans les yeux, ses iris expriment clairement ce qu'il ressent, de la peur mélangée à de la colère.

— Tu es prêt à crever et à être quelque peu abîmé ? Je te jure que tes frères ne vont pas en croire leurs yeux quand ils verront ta dépouille ! lui demandé-je en riant comme une démente.

Je vais commencer par le casse-noisette, je n'ai jamais essayé de broyer avec ça. Voyons voir si tu aimes mes attouchements maintenant que tu es coincé dans ton propre corps.

Tout d'abord, il faut que je t'attache, je veux que tu ressentes ce que je te fais sinon, c'est bien trop facile.

— Oui je sais, tu te dis que j'aurais dû le faire avant de te piquer, mais j'aime les prises de risques. De plus, je ne suis pas certaine que tu m'aurais laissée faire. Reprenons où nous en étions, mon grand.

Donc pour toi, je souhaite une mort longue, mais surtout douloureuse ! On va donc attendre que les effets de ma petite mixture ne fassent plus effet, je t'ai donné une petite dose donc d'ici trente minutes, on pourra commencer. Tu verras, on va

bien s'amuser tous les deux.

Je pars à la recherche de matériel qui pourrait me servir à l'attacher. Je vais faire un tour dans son dressing et y trouve bien ranger dans un tiroir, des menottes ainsi que de la corde. Quand je reviens vers Milo avec mes découvertes, je lui souris et lui montre ce que j'ai dans les mains.

— Tu me gâtes mon petit Milo, tu m'offres de quoi jouer ! Ne bouge pas, je vais m'occuper de toi. Oh suis-je bête, tu ne peux pas ! Ahahahahah !

Il me regarde comme si j'étais folle, je le suis sûrement, mais pour lui, je crois que c'est encore plus flippant. Mon regard exprime cette part de moi que seules mes victimes connaissent. Mon cher Milo a un lit à barreaux, je pense qu'il a l'habitude d'attacher ses partenaires avec ces mêmes menottes. Je positionne ses bras dans l'axe idéal pour fixer ses poignets au cadre, puis prends la corde en nylon et la coupe en deux avec le couteau. Quand j'ai les deux morceaux, je les dépose puis attrape ses jambes. Je les écarte afin de les placer de sorte à pouvoir les maintenir dans la position que j'ai choisie. Je prends les bouts de cordage, puis fais plusieurs tours autour des chevilles pour les entraver solidement. Il n'est pas prêt de se libérer. Je teste mes points d'ancrage, rien ne bouge.

— Tu es à moi pour la nuit, ta toute dernière nuit sur terre. Tu es heureux de m'avoir baisée et ramenée chez toi ? Ah, les mecs, on vous tient si facilement par le sexe. De vraies bêtes toujours en rut !

Je l'observe, puis constate quelques signes du réveil de son corps, c'est léger, mais perceptible. Je lui enfonce donc son boxer dans la bouche pour obstruer quelconque bruit ou cri qui pourrait alerter ses voisins. Je veux être tranquille pour le buter. En attendant qu'il soit de nouveau maître de ses muscles, je vais boire un verre d'eau. Ayant une petite faim, je fouille dans les placards à la recherche de quoi grignoter. Je trouve des gâteaux à la framboise, *miam*. Je déguste le paquet de biscuits puis retourne voir si Milo est d'attaque pour ma séance de torture. Quand j'entre dans la pièce, je le découvre en train de remuer comme un asticot dans le but de se dégager des entraves qui le retiennent. Tentative vaine, il ne bougera pas d'ici. Galvanisée par ce spectacle, je me dirige vers lui.

— Tu as retrouvé ta mobilité, c'est bien. Nous allons pouvoir commencer mon ami.

— Hummm mmmm…

— Ça ne sert à rien de vouloir parler, je ne comprends rien. D'ailleurs, pour être franche, ça ne m'intéresse aucunement. Je te conseille de garder ton énergie pour ce qui va suivre. J'espère que tu es endurant face à la douleur.

C'est parti ! Je commence finalement par le cutter, je dois délivrer un message à Flores après tout, autant le marquer directement dans ses chairs.

J'insère la lame dans l'épiderme au niveau de son pectoral gauche puis commence à graver, une lettre à la fois, les mots « *Blood revenge* »[1]. Milo bouge tellement qu'il est difficile d'écrire proprement cependant, ça reste lisible. Ses hurlements sont, grâce au tissu dans sa bouche, mis en sourdine pour toute autre personne dans le bâtiment. C'est tellement bon de voir ce grand gaillard pleurer comme une fillette juste avec le petit jeu que j'ai initié.

— Et si on passait aux choses sérieuses ? J'ai cru comprendre que tu aimes le sexe. On va rigoler un peu tous les

---

[1] Vengeance de sang en français

deux, je me suis toujours demandé de quoi étaient faites les couilles des mecs. On regarde ?

La peur se lit sur son visage, chose que je comprends. Je viens de passer à un niveau supérieur dans la cruauté. Il ne sait pas jusqu'où je suis prête à aller, mais Milo va bientôt le découvrir.

Je garde le cutter entre mes doigts agiles puis me place entre ses jambes écartées. Il tente de me donner des coups, cependant il se rappelle vite que ses mouvements sont bloqués. Du bout des doigts, je caresse ses cuisses, puis remonte jusqu'à son entre-jambes. Mon toucher le fait sursauter, son bassin essaie de se dérober, je me rends compte qu'il va être difficile de faire ce que j'ai en tête s'il bouge autant. Il me faut trouver de quoi lui bloquer les hanches pour qu'il ne puisse pas saloper mon travail expérimental. Je pars à la recherche d'un objet qui pourrait m'aider à amoindrir ses mouvements.

— Reprends des forces, je reviens vite mon chou !

Ne trouvant pas d'autre corde, je décide d'être imaginative. J'embarque un petit couteau bien effilé en plus d'un rouleau de ruban adhésif qui était dans un tiroir de la cuisine. J'ai eu une idée en le voyant. Je retourne voir Milo pour lui montrer ma trouvaille. En fixant l'objet qui se trouve dans ma main, il se met à se débattre dans l'espoir d'échapper à ce qui va suivre. Le pauvre ne peut se douter de ce que je vais en faire. Je saute sur le lit, le sourire aux lèvres. Je dois avoir l'air d'une folle tout droit sortie d'un hôpital psy cependant, je m'en cogne, je suis trop excitée.

Je lui grimpe dessus, me frotte contre son membre ramolli par la peur et me penche jusqu'à son oreille.

— *On va s'amuser tous les deux, je vais jouer au chirurgien avec toi. Ne bouge pas trop sinon tu risques de souffrir deux fois plus. D'accord ?*

Pour toute réponse, j'ai droit à une ruade de son bassin. Je me doutais bien qu'il n'allait pas rester sage. Quel sale gosse ! Je me retourne, pose mon cul sur ses abdominaux et me penche en avant. Surpris de ce changement de position, il stoppe ses gestes jusqu'à ce qu'il sente mes mains écarter ses fesses. D'une manière rapide, j'insère le couteau à l'intérieur de son anus l'enfonçant au maximum. Milo ayant essayé de me fuir, s'arrête quand il sent le couteau le couper et le sang couler. Un hurlement sort de sa gorge obstruée, il a compris que s'il bouge, la lame aggravera sa coupure dans son intimité obscure. Je décide de rester dans ma position puis attrape le casse-noisette sur la table de nuit. La partie intéressante va commencer.

J'attrape son sexe que je maintiens sur son ventre avec des morceaux de ruban adhésif. En ramenant son petit bout de chair dans cette position, ça fait remonter ses bourses. Parfait ! Je reprends le cutter que j'avais déposé au bout du lit puis je commence à tailler la peau qui protège ses testicules. J'avance doucement, il est hors de question que je salope le boulot, je souhaite un travail propre, mais également bien fait. Milo a essayé de fuir cependant le couteau placé dans son cul l'a stoppé net dans son envie d'esquiver ma découpe. Après avoir sectionné la couche protectrice, j'extrais les parties assez dures qui se cachaient en dessous. C'est assez bizarre à toucher, ça a un côté gluant. Le sang s'écoule de façon ensorcelante, je suis comme obnubilée par la cascade carmin qui recouvre désormais la courbe de ses fesses puis le matelas qui était jadis d'un blanc immaculé.

J'attrape le casse-noisette et y place un testicule à l'intérieur. Je serre jusqu'à ce que j'arrive à le faire exploser. Je réitère l'opération sur le second. Je suis en sueur et j'ai mal aux mains, car il m'a fallu vraiment beaucoup forcer, cependant j'ai réussi. Lorsque ses bourses ont éclaté, mon visage et mon buste ont été recouverts de sang et de matières visqueuses. J'ai trouvé ça très érotique.

Je m'étale cette matière inconnue sur mon épiderme. Milo a, dans un premier temps, crié de douleur, puis a bougé son bassin pour me fuir, il s'est doublement blessé. Son corps a lâché l'affaire, peu après il est tombé dans les vapes. Je descends du lit puis vais chercher son téléphone portable. Le temps m'est compté, Milo perd énormément de sang. Je prends son pouls, il est très faible, presque inexistant. Il va crever d'une seconde à l'autre. Il est pour ainsi dire « *légèremen*t » décédé.

Prépare-toi mon chou, je vais faire de toi une star !

Je mets en route l'application vidéo puis commence mon petit film sur le visage défait et douloureux de Milo. Je descends sur son torse, restant quelques longues secondes sur l'inscription que j'ai faite. Mon chemin continue sur ce qui était son service trois pièces puis ma main apparaît. Je fais scintiller la lame du couteau à la lumière puis approche de nouveau la caméra de l'appareil sur le visage de Milo. Je pose le tranchant contre la gorge du pauvre bougre et tranche celle-ci.

Net, précis !

J'arrête la caméra ensuite.

Je nettoie chaque objet que j'ai touché, prends une douche puis me rhabille. En partant, j'envoie la vidéo à ses deux frères ainsi qu'à Giovanni Flores. Je fuis au volant de son bolide que je rapproche de la zone où se trouve mon véhicule. Sur un parking à l'écart, je place un morceau de tissu que j'ai trouvé dans sa bagnole. Une fois imbibé d'alcool, je le place dans l'ouverture du réservoir. Je vérifie qu'il n'y a personne dans les environs, puis allume avec l'aide d'un briquet l'étoffe. Je me mets à l'abri. J'attends de voir si mon plan se passe comme prévu. Peu de temps après la voiture explose, le feu prend possession de la carcasse.

Un de moins. Au suivant !

Chapitre 26

Le lendemain matin, mon esprit s'éveille après une grasse matinée. Je rassemble mes affaires après m'être préparée, je suis prête à partir. Il est temps pour moi de m'éclipser de cette ville. Le clan Flores doit être sur ses gardes. Je sais qu'il me sera impossible d'approcher le reste de l'équipe pour le moment. Je rends la clé de ma suite, puis prends la direction de Naples. Un peu de tourisme ne me fera pas de mal, j'ai bien mérité quelques jours de vacances.

La découverte de l'Italie est une chose que j'aurais aimé faire à deux, cependant la vie en a décidé autrement. Je vais donc en profiter pour visiter des choses qui me captivent, en plus de m'intéresser, sans faire en fonction des goûts de Tyron. De toute façon, il n'est plus là pour apprécier. Décidant de me mettre un peu de baume au cœur, je m'arrête dans un petit hôtel sans prétention qui m'a l'air familial. Une charmante ou — *plutôt horripilante*-demoiselle d'une quinzaine d'années m'accompagne jusqu'à la porte de ma chambre. Visiblement, elle donne un coup de main quand elle n'étudie pas. C'est souvent ainsi quand il y a une entreprise détenue par les parents. Elle me montre où se trouvent les serviettes et produits d'hygiène, puis repart en me souhaitant un agréable séjour.

Bordel, elle transpire la bonne humeur et l'amour pour son prochain. Ça se voit qu'elle ne connaît pas encore la réalité de la vie et la laideur de ce monde. Après avoir déposé mes vêtements dans les tiroirs et la penderie, je quitte la pièce. Je retrouve la miss «*joyeuse*» à l'accueil qui me sourit. Pff! Ce que je déteste les gens comme ça! Je prends sur moi et me dirige vers elle pour lui demander l'itinéraire à suivre pour ma sortie de la journée. Je m'empresse de fuir les lieux avant qu'elle ne me propose un café à la fin de ses explications.

Putain de bavarde !

Installée dans le métro n° 1, je me lève pour descendre à l'arrêt *Materdei*. Une signalisation m'indique le chemin à suivre. Je découvre de magnifiques ruelles typiques de la ville durant quinze bonnes minutes jusqu'à ce que je vois écrit «*Cimitero Delle Fontanelle*». Un sourire naît sur mon visage, je vais enfin découvrir un lieu sympa. Cerise sur le gâteau, c'est gratuit. Les explications d'un guide présent aident à mieux comprendre l'histoire de cet ossuaire géant. Celui-ci est à la base, une ancienne carrière qui a été transformée pour transférer les os des catacombes de Naples et ainsi éviter les maladies de l'époque comme la peste et le choléra. Plus de quarante mille crânes et os sont disposés dans trois grandes galeries. Je suis émerveillée devant les nombreuses boîtes qui les contiennent, présentes ici. J'apprends donc qu'elles faisaient partie du « *culte du crâne* », apparemment chaque famille napolitaine en adoptait une. Elle le vénérait et le nettoyait pour avoir une sorte de protection divine. C'est tellement enrichissant, j'aurais aimé posséder un tel ornement contenant une boîte crânienne quand j'étais enfant. J'adore ce lieu, il est impressionnant avec une atmosphère morbide à souhait. Le guide nous apprend qu'il y a également deux catacombes à visiter dans la ville. Mon programme pour la suite de la journée sera donc basé sur les ossements. Que demander de plus que de passer du temps à la fraîcheur, à observer des morceaux de cadavres ?

Avec un peu de chance, je croiserai peut-être des fantômes !

C'est, fatiguée par la chaleur présente dans la ville, accumulée à la marche, que j'arrive dans ma chambre d'hôtel. Je prends un bain, quand quelqu'un toque à ma porte, étant bien dans l'eau chaude, je décide de ne pas aller répondre. Les coups sont répétés jusqu'à ce que j'entende le battant s'ouvrir et la voix mielleuse de miss joyeuse m'appeler.

Putain, je n'y crois pas !

C'est quoi cet endroit où les hôteliers se permettent de rentrer dans la chambre de leurs clients sans demander la permission ?

— Vous êtes là ?

Ses pas se rapprochent de la pièce humide dans laquelle je suis complètement à poil. Bordel, elle me fait sévèrement chier celle-là. Si elle continue, je vais la buter cette conne. Je sors vite de la baignoire et manque de glisser. J'enfile à la va-vite le peignoir posé derrière la porte. J'ai à peine le temps de nouer le cordon que le panneau de bois s'ouvre.

— Oh excusez-moi, j'ai frappé, mais comme vous n'avez pas répondu…

— Vous vous êtes permise d'entrer sans que je vous y autorise ! lui réponds-je en criant.

Mais merde, quoi ! Qui veut être surprise nue dans sa baignoire ? Personne, putain !

— Ahahah, oui c'est vrai. Désolée ? me dit-elle avec interrogation, comme si elle ne savait pas quoi me dire pour se faire pardonner cette erreur.

Désolée ? Il est certain qu'elle n'est pas sincère la Miss sans gêne. Pas du tout même !

— Que faites-vous dans ma chambre ?
— Je venais vous dire que le repas est servi.
— Superrrr ! Merci pour l'information. Maintenant, si ça ne vous dérange pas, j'aimerais bien finir de me détendre, accessoirement m'habiller aussi, réponds-je hargneusement avec un regard révolver.
— Oh oui, pardon. Je vous ai dérangée. Je vous laisse tranquille dans ce cas.
— Oui, faites donc ça, balancé-je ironiquement.
— À tout à l'heure alors.

Oh ce n'est pas possible d'être aussi envahissante ! J'étais à deux doigts de lui fourrer un chiffon dans la bouche ainsi que lui mettre une balle entre les deux yeux. Elle a de la chance que je doive me la jouer discrète sinon elle serait déjà froide à l'heure qu'il est.

Non ce n'est pas vrai, je ne pourrais pas faire ça, car malheureusement pour moi et heureusement pour elle, je ne bute que les méchants.

C'est, énervée que je retourne voir la baignoire, en touchant la surface de l'eau je me rends compte qu'elle a refroidi. Fait vraiment chier cette gonzesse ! Je retire le bouchon au fond de la cuve puis enlève rageusement le tissu éponge de ma peau. Pas d'autre choix que d'aller dans la cabine de douche et espérer que les jets réussiront à me détendre les muscles.

Dès que ma tension artérielle est légèrement retombée et que je réussis à m'empêcher de buter cette fille horripilante, je descends manger un morceau rapide. Le ventre rassasié, je pars me coucher. Demain, j'ai décidé de faire une sortie qui aurait beaucoup plu à Tyron. J'espère qu'il sera à mes côtés même depuis là-haut, j'ose penser qu'il me fera un signe, quel qu'il soit.

Chapitre 27

Au petit matin, je prends la poudre d'escampette avant que cette fille bruyante ne prenne son poste. Je grimpe dans mon petit bolide, puis je fuis. Après avoir parcouru la distance nécessaire pour me rendre sur mon lieu de pèlerinage, *Herculaneum*. Je me stationne assez loin par manque de place. J'attrape le sac à dos prêté par l'hôtel, je me dirige vers l'accueil de l'agence Vesuvio Express. Je paie mon ticket d'entrée ainsi que la place dans la navette pour voir le Vésuve.

Je montre mon billet à l'agent présent aux portes d'accès puis pars à la découverte de ce monument mondialement connu. Tyron aurait apprécié de découvrir cet endroit. Je mets mes écouteurs et commence à marcher avec en fond sonore la playlist préférée de mon homme. Une façon de l'avoir à mes côtés d'une certaine manière. Au bout d'une trentaine de minutes difficiles sur un chemin escarpé, je m'arrête et m'assois pour profiter de la vue. Fermant les yeux, je visualise la même scène avec mon homme me prenant dans ses bras, c'est grisant. J'ai l'impression qu'il est en ma compagnie, mon cœur meurtri s'apaise quelque peu. Comme s'il me disait de lâcher prise, d'autoriser ma douleur à me quitter. Cela m'est impossible, tout du moins, pas pour l'instant, je ne suis pas prête à le laisser partir.

Je commence à ressentir les effets de la faim, j'attrape une barre chocolatée de mon sac et la mange doucement. Me relevant pour me diriger vers la sortie, une petite masse me rentre dedans, puis s'accroche à mes jambes. Mon premier réflexe est de sortir mon flingue planqué dans le bas de mon dos. La petite crinière sur le corps d'une enfant stoppe net mon mécanisme de défense. La tête de Giulia m'observe, le sourire vissé sur son visage de poupée.

— Je savais que c'était toi, je suis trop contente de te revoir !

— Que fais-tu ici ?

— Désolé qu'elle vous ait encore dérangée, ma fille semble beaucoup vous apprécier, me dit son père.

— Tu m'as trop manquée !

— Comment pourrais-je te « *manquer* » alors qu'on ne se connaît pas ? l'interrogé-je le sourire aux lèvres, agréablement surprise par cette affirmation.

J'ai toujours rêvé d'entendre cette phrase par mon enfant. Enfin le jour où j'en aurais un. Je n'arrive même pas à la refouler loin de moi. Cette petite boule d'énergie me touche bien plus que je ne veux l'admettre. J'aime beaucoup son tempérament et son bagou.

— Je t'aime bien, tu es gentille et t'es très belle. Je voulais te revoir. Où vas-tu ?

— Giulia ! N'embête pas la dame, s'énerve un peu le père en tentant de la faire me lâcher les jambes.

Visiblement il n'apprécie pas que sa fille me fasse passer un interrogatoire sur le programme de ma journée. Bizarrement, cela ne me gêne pas le moins du monde.

— Célia.

Je m'en veux aussitôt après avoir donné mon vrai prénom. Pourquoi j'ai commis une erreur aussi grosse ? Je ne suis pas une débutante, bordel ! Quelle conne je suis ! Ces deux-là me perturbent bien plus que je ne le pensais. Il faut absolument, après, aujourd'hui, que nos chemins se séparent pour ne plus jamais se recroiser.

— Pardon ? me questionne-t-il

— Mon prénom, c'est Célia

— Ohhh, c'est trop beau ! crie de joie la petite.

— Enchanté Célia, moi c'est Léandro !

— Alors tu vas où ? insiste la gamine.

— Si tu veux tout savoir petite curieuse, je m'apprêtais à partir, lui dis-je amusée par son insistance enfantine.

— Ohhh nonnnn. Je ne veux pas te quitter tout de suite.

— Euh…

— Nous allons redescendre aussi puis nous rendre dans un restaurant pas loin d'ici. Vous voulez vous joindre à nous ? me propose Léandro

— S'il te plaîtttttt.

Giulia me regarde avec insistance, les yeux du chat Potté bien en place pour me convaincre.

— Comment faites-vous pour lui refuser quoi que ce soit ? demandé-je amusée par cette petite maline.

— Je n'y arrive pas, elle est forte pour amadouer son monde, admet-il la mine déconfite avec une trace de fierté au fond des yeux.

Je reporte mon attention sur la petite manipulatrice de service puis j'accepte leur invitation. Cela me permettra de mieux connaître ma cible, même si je comptais profiter de ma journée pour rester tranquille.

— Allons-y dans ce cas.

Je les suis en silence, Giulia ne peut s'empêcher de me poser plein de questions. Ce qu'elle peut être curieuse cette gamine ! Je réponds avec réticence à certaines de ses interrogations.

— Célia, tu as un amoureux ?

— Giulia ! Ça ne se fait pas, l'apostrophe son père.

— Pourquoi ? demande-t-elle en ne comprenant pas pourquoi.

Si je veux des réponses à mes questions, je me dois d'en faire de même, malgré la douleur qu'elle m'apporte.

— Non, mon mari est mort il y a quelques mois.

— Comme mon papa et moi. On a perdu maman dans un accident de voiture.

Je suis scotchée par les paroles de cette fillette. Elle parle facilement du décès sans verser une seule larme.

— Je suis désolée ma puce, lui dis-je sincèrement triste pour elle.

— Oh ce n'est rien, ça fait moins mal maintenant. Mais j'en voudrais une nouvelle. Papa est super et je l'aime, mais je veux une autre fille à la maison pour s'occuper de nous deux, explique-t-elle sérieusement.

— Ma puce, tu mets mal à l'aise Célia.

— Ah bon ? Désolée, dit-elle étonnée.

— Ce n'est rien. Allons te nourrir, coupé-je la conversation mal à l'aise par cette situation étrange.

Nous arrivons aux abords du restaurant, il est complet. Une file d'attente énorme nous décourage.

— Je vais vous laisser, je mangerai à mon hôtel. Passez une bonne fin de journée, laché-je en repartant vers mon véhicule.

— Attends ! Tu n'as qu'à venir chez nous. On cuisinera pour toi ! m'interpelle Giulia pour me retenir encore une fois.

— C'est gentil, une prochaine fois, d'accord ? refusé-je aimablement en lui souriant, ne voulant pas rendre la petite déçue.

— Excusez ma fille, elle ne semble pas vouloir vous quitter.

— Ce n'est rien, le rassuré-je.

— Alors, tu es OK ? De toute façon, le temps que tu fasses la route jusqu'à ton hôtel, tu auras encore plus faim. On n'habite pas loin, viens s'il te plaît, argumente Giulia pour finir de me décider avec un regard sûr d'elle.

Comment cette fillette réussit-elle à m'atteindre aussi facilement ? Peut-être que mon désir d'avoir des enfants est une faiblesse qu'elle manipule ?

— C'est bon, tu as gagné. Je vous suis, capitulé-je.

Je monte dans ma voiture et roule au ralenti une centaine de mètres derrière eux jusqu'à ce qu'il s'installe dans une petite berline noire.

Je vais me rendre dans cette maison afin de voir à qui j'ai affaire. Ce sera déjà ça, les informations sont plus que banales concernant ce type. Si j'arrive à en apprendre plus, c'est du bonus.

OK j'avoue avoir un petit faible pour Giulia, cependant, je ne dirai à personne.

Arrivée devant la maison de Léandro, je me stationne derrière son véhicule. Je les laisse passer devant, de mon côté, j'observe ce qui m'entoure. Ils vivent dans un quartier assez populaire, on est loin de la richesse affichée par Giovanni. La propriété est de taille moyenne, le petit carré de verdure est entretenu, mais pas impeccable. Giulia m'attend sur le pas de la porte, j'arrête donc mon observation, puis pénètre dans l'antre de Léandro. L'étroitesse du salon, additionnée à l'aspect des meubles, m'aide à comprendre que ce type ne vit pas dans le grand luxe. Les décorations sont peu nombreuses, sans parler de la vétusté du canapé et de la table basse qui m'indiquent les modestes moyens de mon hôte.

Mes indics m'avaient informée qu'il ne gagnait pas énormément, d'après ce que je vois, les renseignements étaient exacts. Je ne suis pas à l'abri qu'il cache bien leurs jeux les frangins Flores, je vais donc enquêter discrètement. Il va falloir la jouer fine, mais j'ai un avantage, ils ne savent pas qui je suis.

— Célia, viens, je veux te montrer ma chambre !

— Ma puce, laisse notre invitée se reposer cinq minutes.

— Nooonnnn, je veux lui montrer tout de suite ! s'énerve-t-elle

— Giulia ! crie Léandro

— C'est bon, ne vous inquiétez pas, si vous êtes d'accord, alors je suivrai la demoiselle dans son royaume.

— Bien sûr, allez-y cependant, je ne souhaite pas que vous vous sentiez obligée pour satisfaire les caprices d'une fillette de sept ans, s'inquiète-t-il.

— Ça me fait plaisir, le rassuré-je.

Je suis donc Giulia dans le court couloir qui dessert plusieurs portes. Elle s'arrête devant la dernière, sur laquelle est inscrit son prénom. Poussant le panneau de bois, la lumière vive du soleil réchauffe la pièce. Un petit lit recouvert de peluches avec une parure rose. Il est installé contre le mur de gauche. Une armoire peinte de la même couleur que sa couette me fait face alors qu'en dessous de la fenêtre est posé un bureau en bois. Dans le coin droit de la pièce, Giulia a créé une sorte de salle de jeux.

Je m'approche du bureau, mes doigts longent la surface, puis mes yeux se posent sur une photo encadrée. J'attrape le cliché et découvre une femme d'une petite vingtaine tenant un bébé dans ses bras. La jolie blonde aux yeux marron semble être heureuse au moment où l'objectif a capturé cet instant de vie. La ressemblance avec Giulia ne laisse pas de place à l'imagination. Il s'agit de la défunte mère de la petite puce qui m'observe assise sur son lit.

— Elle était belle, ma maman.

— Oui, très, tu lui ressembles beaucoup. Je suis désolée que tu aies eu à subir sa disparition, ma douce.

— Ce n'est pas grave, elle est partie quand j'avais deux ans. Je ne me souviens pas beaucoup d'elle. Tu voudras des enfants plus tard, Célia ?

— Oui, peut-être un jour.

— Cool, j'aimerais trop avoir une Célia rien que pour moi !

— Euh… merci… ne sachant pas quoi lui répondre d'autre. Mais ça ne va pas arriver ma puce, tu le sais ?

— Pourquoi ? Je t'aime bien, moi ! réagit-elle aussitôt.

Je ne comprends pas pourquoi elle a envie de m'avoir auprès d'elle. Ce n'est pas normal qu'une gamine de son âge s'attache comme ça à une inconnue.

— Déjà, car je n'habite pas dans le même pays que toi. Ensuite, pour faire partie de ta famille, je devrais être en couple avec ton papa. Pour finir, tu ne peux pas me dire ça. Tu ne m'as vue que peu de temps lors de nos rencontres. Tu ne me connais pas. Je ne serais peut-être pas une bonne mère et de toute façon, je ne sais pas comment m'occuper d'un enfant, lui expliqué-je calmement.

— Je peux t'apprendre, tu verras, je serai gentille avec toi. Je suis sûre que papa t'aime beaucoup, quand il te regarde, il sourit. Il ne fait pas ça avec les autres dames avec qui il parle.

La conversation ne part pas dans le sens que je souhaite. La petite veut me caser avec son père ! Je n'y crois pas, elle ne doute de rien. Aussi mignonne qu'elle soit, je ne pourrais pas me mettre avec Léandro. Ce serait trahir Tyron de sortir avec un autre homme maintenant, qui plus est, un membre de la famille Flores.

— On va rejoindre ton papa ?

— Oh… D'accord, si tu veux. Suis-moi, je vais te montrer le reste de la maison.

Elle se dirige vers la pièce de droite en sortant de sa chambre. Une salle de douche, petite, mais fonctionnelle. Les toilettes sont derrière le panneau de bois suivant, après, il y a une seule pièce du côté gauche du couloir. La chambre de Léandro. Une surface assez grande m'accueille, les murs peints dans des tons de gris entourent la baie vitrée, le lit accompagné de deux tables de nuit. Une porte coulissante est ouverte sur une magnifique salle de bains décorée avec goût.

— Tu vois, si tu étais l'amoureuse de mon papa, ça pourrait être chez toi aussi. Papa serait content de te voir ici, le lit est trop grand pour lui tout seul.

Euh... Elle veut que je couche directement avec son père ou quoi ? Elle doit être folle ma parole ! Ce n'est pas le genre de choses que l'on dit à sept ans bordel ! Mon Dieu, où suis-je tombée ?

— Allons le rejoindre et l'aider pour le repas, dis-je pour stopper cette discussion improbable.

J'ai fui la pièce sans répondre à Giulia. Cette enfant a vraiment besoin d'une présence féminine dans sa vie, ou à défaut d'une muselière.

De retour dans le salon, je cherche Léandro et le trouve dans la cuisine qui est à l'arrière de la maison. Je le regarde discrètement pendant qu'il a le dos tourné. Et en parlant de dos, mon Dieu ! Ce type est super bien gaulé. Malgré son corps plutôt fin, Léandro cache sous ses vêtements une magnifique musculature. J'en ai l'eau à la bouche. Et cette paire de fesses que je rêve de griffer, on en parle ? Ce mec est d'une beauté indéniable et m'attire irrésistiblement. C'est surprenant que je ressente cette attirance pour lui, alors que Tyron me manque plus que tout. Il est le dernier avec qui j'ai ressenti cette attraction. Je passe mon index au coin de mes lèvres, ainsi que sur mon menton pour vérifier qu'il n'y a pas un filet de bave. *Célia, reste focus !*

Je dois penser à la suite des festivités que j'ai prévue. Il est important que je me remette les idées en place. Je ne peux pas me permettre ce genre de pensées, surtout en ce moment. J'ai plein de choses à gérer et clairement Léandro n'en fait pas partie. Je ne peux pas laisser ce bel italien s'incruster dans ma tête et parasiter mon attention avec des images particulièrement chaudes de nos corps en pleine action.

Dommage !

Je traverse la pièce et m'approche de lui.

— Besoin d'un coup de main ?

— Non, c'est gentil de votre part. Ce sera prêt dans deux minutes. Giulia ?

— Oui, papa ?

— Mets la table, s'il te plaît.

— D'accord, papa.

Léandro déposer au centre de la table un plat rempli de sandwichs, de la salade, des bouteilles d'eaux et de sodas.

— Je suis désolé, ce n'est pas grand-chose, mais j'ai fait au plus vite.

— Pas de problème, c'est déjà très bien.

Le repas se déroule dans la bonne humeur, Giulia monopolisant la conversation en essayant d'en apprendre le plus possible sur moi. Mon regard se pose énormément sur Léandro, sans que je puisse m'en empêcher. Ce mec a un magnétisme qui fonctionne grandement sur moi. Quand j'arrive à connecter suffisamment mes neurones et que la petite me laisse en placer une, j'en profite pour lui demander si elle a beaucoup de cousins ou cousines. La petite stoppe vite mon interrogatoire en me disant être fatiguée.

— Je suis désolée si j'ai été trop curieuse. J'ai le sentiment d'avoir blessé votre fille.

— Vous n'y êtes pour rien. C'est juste qu'il n'y a que ma fille et moi. Mes parents sont décédés et je ne fréquente pas mon frère depuis des années. Ma fille connaît l'existence d'une famille, cependant elle ne l'a jamais rencontrée, me confie-t-il tristement.

Voyant la peine se dessiner sur ses traits, je décide de mettre fin à ce moment en sa compagnie et de rentrer.

— Je vais vous laisser, merci pour l'invitation.

— Vous ne voulez pas rester plus longtemps ? me propose-t-il avec espoir.

— Je vais rentrer me reposer.

— Très bien, je comprends. Faites attention à vous Célia.

Je lui fais un signe de tête pour lui répondre. Je suis troublée par le regard avec lequel ses iris me fixent. J'y décèle de la tendresse, de l'affection accompagnées d'excitation ? Surprise par ce que je viens d'observer, je fuis les lieux.

C'est quoi ce bordel ? Pourquoi avait-il ce regard ? Pourquoi j'ai l'impression qu'il y avait plus que ça ?

Fait chier, son comportement me trouble plus que de raison.

Et POURQUOI, je réagis ainsi ?

OK il est canon, adorable avec sa fille en plus d'être très gentil avec moi, mais… *STOP Célia* !

J'ai ressenti une espèce d'attirance envers lui en le regardant interagir avec Giulia, surtout en zieutant son physique de dieu grec, mais c'est tout. Ça ne veut rien dire ! Je ne peux ressentir quoi que ce soit pour un autre homme que Tyron. Une main m'attrape le poignet, puis me fait me retourner sur moi-même. Je suis prête à frapper mon assaillant quand une paire de lèvres entre en contact avec les miennes. Mon corps se raidit quelques secondes, en voyant qu'il s'agit de Léandro, mes paumes se placent sur ses épaules. Je suis prête à le repousser quand sa langue entre dans ma bouche et joue un ballet avec la mienne. J'oublie mon instinct initial pour passer mes bras autour de son cou. Il me porte et me ramène chez lui. De son pied, il referme la porte tout en m'emmenant dans sa chambre. Me déposant sur son lit, son souffle ainsi que le mien sont erratiques.

— Reste avec moi cette nuit, j'ai trop envie de parcourir chaque partie de ton corps. Je ne peux m'empêcher de penser à toi depuis notre première rencontre. J'ai besoin de te toucher, te lécher, de découvrir le goût de ton miel. Putain, je bande depuis des heures, vas-tu me laisser dans cette situation indélicate ?

— Je crois que je peux peut-être t'aider avec ce « *gros* » problème. Mais ce ne sera que pour ce soir ensuite on ne se reverra plus. D'accord ? Ta fille s'attache déjà trop à moi, alors qu'elle me connaît à peine. Je ne souhaite pas lui faire espérer quoi que ce soit et encore moins la faire souffrir.

— On verra ça plus tard, pour l'instant j'ai d'autres idées en tête.

— Léandro, je suis sérieuse !

— Chut, arrête de penser et laisse-moi te faire voyager au pays des orgasmes.

Il ferme le battant afin de nous isoler, puis le verrouille avec la clé. Il me rejoint sur le matelas pour reprendre notre baiser là où il l'a laissé. La chaleur monte vite dans la pièce, nous nous déshabillons l'un, l'autre rapidement. Un besoin presque bestial nous consume, Léandro passe ses mains sur chaque parcelle de peau qu'il rencontre pendant que j'en fais autant. Sa bouche quitte la mienne pour partir à la découverte de mon cou. Sa langue et ses dents entrent en action. Des frissons commencent à recouvrir mon corps, la pointe de mes seins se met à pointer vers le plafond alors que mon souffle s'accélère. Mon amant du jour remarque l'effet qu'il me fait. Il continue sa descente sur mon buste. Une traînée humide longe mes clavicules puis dévale la vallée de ma poitrine. Après m'avoir regardé avec excitation, il prend en bouche un à un mes mamelons et les suçote. Au départ, c'est doux, mais au fur à mesure que j'halète, ça devient de plus en plus brutal.

Oh bordel que c'est bon ! J'aime quand c'est brusque ! En entendant mon miaulement-oui, un putain de miaulement —, Léandro accentue encore plus fort la succion. Je suis à deux doigts de gémir cependant, je me retiens.

Merde alors ! C'est la première fois qu'un mec arrive à m'emmener aussi haut juste en s'occupant de ma poitrine.

Bon dieu, s'il continue comme ça, je ne vais pas réussir à l'oublier. Léandro reprend son pèlerinage sur mon corps. Il se dirige vers mon point névralgique, je sais que je ne pourrai pas lui résister.

Du plat de sa langue, il remonte le long de mes lèvres génitales, puis repart en sens inverse. Il joue à ce petit jeu quelques secondes avant de me surprendre en les écartant tout en enfonçant la pointe humide dans mon antre. Oh bordel de merde ! Un grognement d'appréciation sort de la gorge de Léandro, si j'en crois la frénésie qui semble l'emporter. Il se positionne sur ses genoux et attrape mon bassin afin de le relever. J'attrape vivement ses cheveux que je tire assez fort. Mon geste semble libérer la bête qui sommeillait en lui.

Il redouble de vivacité.

Il me goûte goulûment.

Un bruit de ventouse se fait entendre avec ses mouvements de tête, mon corps sécrète tellement de cyprine, additionnée à sa salive abondante, que je suis littéralement trempée. Je l'entends grogner, puis une de ses mains lâche mon corps pour partir sur son sexe. Il se masturbe à la même vitesse que sa langue dans ma chatte humide. Quand l'envie de l'autre est trop forte pour être retenue, Léandro se relève, passe mes jambes de chaque côté de ses hanches puis me pénètre de toute sa longueur. Pas de douceur, le désir que nous ressentons est trop fort. Pour la patience et la délicatesse, on repassera. Visiblement lui aussi aime quand c'est brutal et animal. Je peine à m'empêcher de hurler, car malgré mon état d'excitation, dans un coin de ma tête, je me rappelle qu'il y a Giulia pas loin. Alors quand mon orgasme arrive, ça devient trop dur de ne pas m'exprimer vocalement, je mords Léandro. Ça semble beaucoup plaire à mon amant, car il jouit en même temps que moi. C'est insensé, mais j'ai encore envie de lui, mon merveilleux amant semble du même avis, car il recommence à basculer mon bassin.

— Je n'en ai pas encore fini avec toi, mio amore[2].

Je n'ai pas le temps de lui répondre qu'il n'y a rien entre nous en dehors du sexe que nous partageons ce soir. Il m'embrasse, puis me baise comme un animal en rut. Après deux parties de jambes en l'air, Léandro sombre dans un sommeil plus que mérité. Je profite de ce moment pour quitter la maison malgré ma fatigue. Je m'en veux d'avoir cédé à la passion qu'a fait naître Léandro. Même si je voudrais recommencer encore et encore, il m'est impossible de trahir de nouveau Tyron. Quand il s'agit d'agir ainsi pour tuer, ce n'est pas pareil. Là c'est différent, j'ai aimé coucher avec lui et je ressens une attirance pour Léandro.

Je suis une pétasse qui n'a pas pensé une seule fois à Tyron, lorsque j'étais dans ses bras.

Je suis à vomir !

---

[2] Mon amour

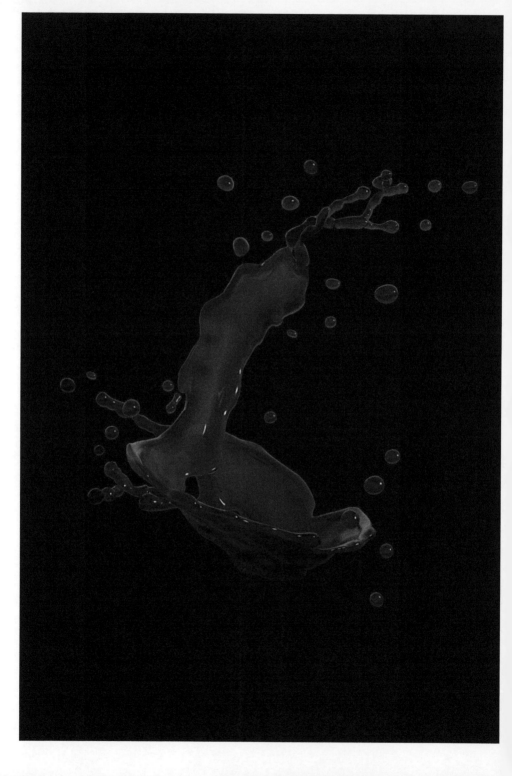

Chapitre 29

J'ai passé une nuit de merde, enfin le peu que j'ai dormi, n'arrivant pas à oublier le regard et le toucher appréciateur de Léandro sur mes courbes. Il s'est incrusté dans mes rêves, je me suis réveillée à plusieurs reprises tout émoustillée. Mais de quel droit s'est-il immiscé dans ma tête de cette manière ? Énervée par la tournure qu'ont pris mes songes ainsi que les réactions de mon corps, je balance les couvertures et me lève. Je ne peux rien envisager avec cet homme, on a bien baisé hier soir, mais ce n'était qu'un coup d'un soir. Il ne peut en être autrement. Rageusement, je jette ma nuisette sur le sol, entre dans la douche puis ouvre l'arrivée d'eau sur glacé. Je crie, car je suis transie de froid en quelques secondes, mais j'ai besoin de faire redescendre ma température corporelle.

Saloperie d'hormones féminines !

C'est la peau prenant une teinte légèrement violette et les lèvres bleues dues à la morsure du froid que je quitte la cabine de douche. Tremblante comme une feuille, j'enfile rapidement mon peignoir pour me réchauffer. Je m'essuie mécaniquement, puis file dans la chambre m'habiller. Des vêtements confortables suffiront aujourd'hui, je ne compte pas quitter l'hôtel. Je me brosse les cheveux puis les attachent en un chignon désordonné. J'attrape mon ordinateur portable pour regarder mes mails. J'ai quelques messages professionnels, auxquels je répondrai tout à l'heure, mais surtout celui que j'espérais recevoir. Le détective privé me l'a envoyé tôt ce matin. Il doit avoir des informations prometteuses sur Massimo Costa, enfin, je l'espère ! Je m'empresse de l'ouvrir.

[Bonjour, j'ai des nouvelles concernant notre cible, l'homme n'est pas facile à suivre. Très suspicieux en temps normal, il l'est d'autant plus depuis votre visite. Après diverses investigations peu fructueuses, j'ai enfin réussi à dénicher une information intéressante. L'oiseau de nuit aime pratiquer avec des congénères dans le milieu des combats clandestins. En effet, il participe lui-même dans l'arène. Il jouera de ses poings dans trois jours. Dès que le lieu ainsi que l'heure sont annoncés, je vous les communiquerai. À bientôt]

Je vais enfin pouvoir m'occuper de Massimo Costa. Quand toutes les informations seront entre mes mains, je vais tout faire pour m'approcher de lui, puis le dézinguer. Je n'attends que ça. J'ai hâte de recevoir le prochain mail de la part de mon détective. Finalement, la journée commence bien. C'est dans la soirée que j'ai l'information que j'attendais. Je prépare mes affaires pour quitter l'hôtel à la première heure, afin de rejoindre la ville où aura lieu le prochain combat de ce connard.

***

Après plusieurs heures de voiture, j'arrive enfin à Florence. Cette ville est magnifique, mais malheureusement, je n'aurai pas le temps de la découvrir. La rencontre a lieu demain soir, je dois donc partir en repérage. Je me déguise donc de manière à ne pas me faire remarquer, je dois me la jouer discrète. Ayant repéré en amont qu'un concurrent de Massimo avait une frangine, j'ai fait en sorte de lui ressembler aujourd'hui, on ne sait jamais si je dois interagir avec du beau monde. Je porte des vêtements sobres et une perruque aux cheveux longs de la couleur voulue pour dissimuler un maximum mon visage. Je me balade aux alentours de l'endroit qui recevra les vedettes le lendemain. L'entrepôt d'apparence délabrée est excentré des rues passantes, ce qui est emmerdant pour passer inaperçue. Des mecs montent la garde devant chaque entrée. Merde ! Je n'ai pas le choix, il va falloir jouer la groupie écervelée. Quelle horreur !

— Excusez-moi messieurs, c'est bien ici qu'auront lieu les combats ? demandé-je en battant des yeux comme une débile.

— Vous faites quoi là ? Vous n'avez rien à faire ici, dégagez ou j'appelle les flics, me menace-t-il énervé par ma présence.

— Oh non, s'il vous plaît, ne faites pas ça. Je ne suis pas de Florence et je ne veux pas me tromper d'endroit. Mon frère m'en voudrait si je manquais son passage sur le ring, dis-je pour qu'ils s'interrogent.

— C'est qui votre soi-disant frère ? demande-t-il sarcastique.

— Emilio Montoya

— Qui ça ?

— Oh pardon, vous parlez de son nom de scène. C'est « *le Destructor* », lui dis-je fièrement.

— Mais bien sûr !

— Vous ne me croyez pas ?

— Absolument pas.

Je dégaine donc mon téléphone afin d'aller dans l'application photo. Je ressemble beaucoup à la frangine de ce type après m'être grimée. Dans le doute qu'elle a déjà été aperçue par un de ces mecs, j'ai pris la peine de faire un montage photo. C'est tellement facile à faire, j'ai simplement apposé mon visage sur le corps de cette fille. Je montre le cliché, puis je vois le changement de comportement s'opérer chez mes amis videurs.

— Toutes nos excuses, mademoiselle Montoya. Vous savez, il y a beaucoup de filles qui cherchent à entrer sans autorisation.

— Je ne vous en veux pas, je comprends.

— Vous souhaitez voir votre frère ?

— Il est là ?

— Bien sûr, il est en train de s'entraîner.

— Je ne veux pas le déranger, il doit se concentrer.

— Vous lui ferez la surprise à la fin de son entraînement, me propose-t-il gentiment.

— Oh merci beaucoup.

Jouant le rôle de nunuche jusqu'au bout, je lui saute dessus pour l'embrasser sur la joue. Il paraît surpris par ma spontanéité, malgré tout il me fait un sourire penaud. Après m'avoir rapidement expliqué le chemin à suivre, j'entre. Dès que la porte se referme sur mon passage, je me remets à l'affût. J'observe tout, le nombre d'hommes armés, les sorties de secours, puis je ne me faufile là où personne ne fera attention à moi. Me dirigeant vers les vestiaires, je tombe sur un mec qui sort de l'un d'eux. Un autre homme lui parle puis quand le premier me voit, il stoppe son débit de paroles et ses mouvements. Interpellé par le comportement de son comparse, celui que je n'avais pas encore vu, fait son apparition.

Oh bordel, c'est Costa !

— Salut ma jolie, tu t'es perdue ?

— Non, je cherche juste le vestiaire de mon frère, dis-je en jouant la potiche timide.

— Qui est ton frangin ? m'interroge Massimo suspicieusement.

— Le destructor…

— Oh c'est vrai ? Ça tombe bien, on est potes. Viens dans ma loge le temps qu'il finisse son entraînement. Tu seras plus en sécurité. Il est au courant que tu es ici ?

— Non, je lui fais une surprise, réponds-je doucement en baissant les yeux.

— Raison de plus pour rester avec moi. Il m'en voudrait s'il t'arrivait quelque chose. Entre, je t'en prie. Coach, laisse-nous. On se voit demain.

L'homme fait un clin d'œil à Massimo, puis quitte les lieux, nous laissant seuls dans son vestiaire. Peu après, des bruits de pas et de bavardages se font entendre depuis le couloir. Costa semble déçu, visiblement il a reconnu les voix. C'est le moment de prendre la poudre d'escampette. Je ne suis pas prête pour le détruire immédiatement. J'ai beau me maintenir en forme, je ne fais pas le poids contre lui sans mes jouets.

— Je dois y aller. Merci de m'avoir tenu compagnie. Je viendrai vous souhaiter bonne chance demain si vous me le permettez.

— Passe plutôt quand mon combat sera fini, je dois rester concentré pour être le vainqueur.

— D'accord, faisons comme ça. Quand votre victoire sera déclarée, je viendrai vous féliciter.

— Très bien, fais attention à toi, poupée. N'oublie pas que je t'attends après ma victoire.

— Promis !

Je quitte la pièce sans attendre. Demain, Costa, je te jure que tu vas regretter de m'avoir rencontrée.

Chapitre 80

Le jour J est enfin arrivé, mon plan de base a évolué depuis notre rencontre d'hier seulement dans le bon sens. J'ai d'ores et déjà réussi à entrer en contact avec Massimo. J'ai prévu ce qu'il faut dans ma besace pour jouer avec lui. Je ne peux pas laisser passer une chance comme celle-là. Qui sait quand je pourrai avoir une occasion pareille de me retrouver seule avec lui ? De ce que j'ai lu sur internet, Costa et Montoya ne peuvent pas se sentir, pas uniquement sur le ring. Il prend la petite sœur pour une imbécile, tant mieux. Il sera d'autant plus surpris quand il comprendra qui de lui ou moi, berne l'autre. J'ai bien saisi son petit jeu quand il a demandé à son coach de partir. Son regard lubrique ainsi que le signe de compréhension de l'autre homme ne m'ont pas échappé. Il pensait pouvoir me violer pour ensuite balancer ça dans la tronche de Montoya pour le forcer à se battre en dehors de l'octogone et en profiter pour le faire disqualifier. Pas de bol pour lui, c'est lui qui ne combattra pas.

Avant le début des combats, je réussis à entrer dans la partie réservée aux athlètes. Je me présente à la porte de Montoya et frappe. Un homme avec la carrure d'une armoire à glace ouvre le panneau de bois. C'est son coach, je l'ai vu sur des photos.

— Excusez-moi, est-ce que Mr. Montoya est là ?

— Qu'est-ce que tu lui veux ? Il est trop tôt pour lui vider les couilles, me grogne-t-il dessus avec hargne.

— Pardon ? Je ne suis pas ici pour ça ! Vous me prenez pour qui ? dis-je indignée par cette phrase obscène.

J'ai un rôle à tenir après tout !

— Comme toutes les greluches qui viennent ici, des salopes avides de dire à leurs copines qu'elles se sont fait sauter par mon poulain, me répond le coach avec dégoût.

— Je ne crois pas, non. Je suis venue le voir pour parler de…

— Il s'en fout de ce que tu lui veux. Il doit se concentrer donc, dégage.

— Il s'agit de Costa ! hurlé-je.

— Rien à branler de cette merde !

Il referme la porte cependant, avant qu'elle ne claque sur mon visage, Montoya le stoppe.

— Fais-la entrer.

— Tu dois rester dans ta bulle, sinon cette grosse merde en profitera, grogne le colosse.

— Laisse-moi avec cette fille, merde à la fin. Je sais ce que je fais, arrête de me faire chier.

— Très bien.

Il me laisse passer tout en me lançant un regard meurtrier puis il claque la porte en partant.

— Vous êtes qui ? Que me voulez-vous ? Je n'ai pas beaucoup de temps à vous accorder.

— Mon identité importe peu, la seule chose que vous devez savoir, c'est que Costa veut s'en prendre à vous.

— Ce n'est pas nouveau, vous ne m'apprenez rien. Vous me faites perdre mon...

— Non, vous ne comprenez pas.

— Dans ce cas, expliquez-vous ! Je n'ai pas toute la journée. me dit-il excédé.

— Je me suis fait passer pour votre sœur et...

— Quoi ?!

— Laissez-moi finir ! Je vais être claire avec vous. Costa, je veux le voir disparaître de cette planète. Ayant découvert une grande ressemblance avec votre sœur, j'ai leurré les gardes à l'entrée. Mon but est de me rapprocher de cet enfant de salaud.

— Quel est le rapport avec nous ?

— Ce connard m'a vue alors je lui ai dit notre « *lien* » de parenté.

— Je ne vois pas le rapport avec votre présence ici.

— J'y arrive. Il m'a dit être ami avec vous, puis m'a fait entrer dans sa loge. Son idée était de me violer pour pouvoir vous le balancer en pleine tronche dans le but que vous l'attaquiez afin que vous soyez viré de la fédération.

— Putain ! hurle-t-il en balançant son poing dans un mur

— Ouais. Il m'a proposé de venir le voir aujourd'hui avant votre combat, car j'ai réussi à me barrer quand nous avons entendu votre voix dans le couloir.

— Mais quel enfant de putain ! Je vais le buter ce connard. Il n'a pas intérêt à toucher à ma famille.

— Si vous me laissez agir et ne me dénoncez pas à la sécurité ainsi qu'à la police. Je vais lui régler son compte.

— Vous ? Laissez-moi rire. Il en mange deux comme vous au petit déjeuner.

— Vous ne me voyez que comme une demoiselle en détresse, mais je suis une tueuse à gages. Soit, vous m'aidez, soit je vous bute par la même occasion. Un cadavre ou deux, je m'en fous ! Je ne suis pas à ça près.

Je sors mon flingue de derrière mon dos et le pointe sur lui. Son visage change de couleur, il devient blanc. Visiblement il commence à comprendre que je ne rigole pas.

— OK, baissez votre arme, je vais vous aider, mais promettez-moi de me laisser la vie sauve.

— Franchement, j'ai juste besoin d'une couverture pour pouvoir me barrer rapidement après avoir flingué l'autre con.

— Je suis votre homme, je sais bien que je n'ai pas le choix, mais je suis ravi de me débarrasser de cette raclure. À quoi pensez-vous ?

— Je ne peux rien vous dire. Je souhaite juste votre aide pour quitter les lieux sans danger.

— Pour le bien de ce monde et de ma sœur, ce soir vous serez de ma famille aux yeux de tous.

— Merci. Je vous promets que vous n'aurez pas de problèmes et que jamais plus vous ne me reverrez.

— Très bien. Allez frangine, reste tranquille dans un coin de la pièce, j'ai besoin de me concentrer. Il faut que Costa te voie avec moi dans le couloir. Je vais sortir d'ici pour mon combat et te demanderai de m'attendre dans mon vestiaire le temps que je serai sur le ring. Il te faudra agir à ce moment-là, m'explique-t-il pour qu'il ne soit pas suspecté, mais également pour que je puisse avoir le champ libre.

— OK. Sache mon frère, que cette nuit sera la dernière fois que tu verras ce fumier.

— Ça me va !

Il me fait un clin d'œil puis rappelle l'homme qui est parti en colère tout à l'heure. Quand il me voit dans la pièce, il semble surpris cependant, après avoir regardé Montoya, il ne dit rien. De mon côté je fais comme mon frère d'un jour, je me concentre sur ce qui va se dérouler dans quelques heures. Montoya est dans sa bulle, des écouteurs sur les oreilles, volume à fond. Quand la porte s'ouvre sur un groupe d'hommes habillés à l'effigie de l'organisation des combats, Montoya est prévenu par son coach. Il retire son matériel, enfile sa tenue puis vient vers moi. Me prenant par la main, il m'accompagne jusqu'au couloir où il s'arrête. Costa nous observe depuis son vestiaire, le regard victorieux. Voyant faire son ennemi, mon faux frère me prend dans ses bras. Il se penche vers mon oreille, discrètement.

— Délivre ce monde de cette merde.

Reprenant sa position initiale, il continue en parlant suffisamment fort pour que Costa entende.

— Attends-moi ici, je ne veux pas que tu vois le carnage. Je dois rester concentré sur mon adversaire. Je ne pourrai pas l'être si tu es dans la salle.

— Mais…

— S'il te plaît, ne commence pas. Nous en avons parlé tout à l'heure. Reste ici et ne sors pas de cette pièce. C'est dangereux. Tu es une magnifique jeune femme et je ne veux pas qu'il t'arrive quoi que ce soit, me prévient-il avec inquiétude.

— D'accord, abdiqué-je faussement.

Il dépose un baiser sur mon front puis part en compagnie de la horde de mâles alphas. Je regarde dans la direction de Costa qui me fait un clin d'œil puis referme le montant.

Chapitre 81

Après avoir attendu une quinzaine de minutes, je vais dans le couloir pour regarder dans la direction qu'a pris Montoya afin de faire comme si je m'impatientais du retour de mon frère. Costa, me repérant rapidement, renvoie son équipe comme la veille. Il se dirige donc vers moi pour me parler. Je fais l'ingénue. Ce connard semble aimer ce qu'il voit, son ego de merde paraît avoir encore augmenté. Se préparer à traumatiser une jeune fille innocente pour faire mal à son adversaire lui plaît. Monsieur se sent fort ainsi, mais ce sera la dernière fois qu'il se voit aussi puissant face à une personne qu'il pense faible. La blague, il va vite comprendre sa douleur. Il se pavane devant moi torse nu avec son short, ses mains encore entourées des bandes de maintien. S'approchant de moi, tel un lion d'une gazelle, il s'arrête à quelques centimètres de mon corps.

— Tu veux bien m'aider à les retirer ? me demande-t-il avec arrogance.

— Euh… oui, bien sûr, dis-je timidement en baissant les yeux.

Je continue dans mon rôle, même si ça commence légèrement à m'agacer. Après avoir délicatement enlevé le tissu, je recule d'un pas afin de feindre de la gêne due à son corps quasi nu. Il se penche vers moi, tourne la tête au dernier moment pour venir murmurer un « *merci* » contre mon oreille.

— Je vais prendre une douche, mets-toi à l'aise pendant ce temps. Je n'en ai pas pour longtemps.

— D'accord.

Bordel, il pense me faire de l'effet le Hulk sous stéroïdes ? Je le suis dans sa loge, il ferme la porte puis se dirige vers les vestiaires. Profitant de son absence momentanée, je sors de mon décolleté un flacon de liquide transparent que je verse dans sa boisson énergétique qui se trouve sur le banc. Peu après, Costa revient avec pour seul vêtement, une serviette autour de sa taille. Le corps de ce connard est recouvert de bleus et de plaies. Son visage a pris cher durant son combat. J'ai beaucoup de chance qu'il soit passé avant « *mon frère* » sur l'octogone. J'ai tout le loisir de jouer avec ma proie même s'il croit que les rôles sont inversés, c'est moi le prédateur, aujourd'hui.

Avant qu'il n'ait le temps d'ouvrir la bouche, je lui tends sa boisson.

— Tiens, tu dois avoir soif après avoir combattu. Il faut te réhydrater rapidement, lui dis-je fourrant dans les mains la bouteille.

— Oh merci beaucoup ! Tu es mignonne, me remercie-t-il avec un sourire hypocrite.

La façon dont il prononce ce mot « *mignonne* » avec une sensualité écœurante m'indique que j'ai bien fait de lui donner cette drogue puissante que se trouve être inodore, mais également insipide.

— Tu veux que je parte pour que tu puisses t'habiller ? demandé-je en faignant la gêne.

— Non, reste. Ça ne me dérange pas que tu me vois nu. Tu as peur ? me provoque le connard égocentrique.

— N... non. Tu veux que je te masse les épaules pour te détendre ?

— Oui, pourquoi pas, me répond-il avec surprise, mais également ravi en laissant son regard descendre de mes yeux à ma poitrine.

— Continue de boire, c'est bon pour ton corps, l'incité-je à finir ma mixture qui une fois entièrement avalée fera effet en cinq minutes maximum.

— Tu aimes prendre soin de moi, dis donc, fanfaronne-t-il, ravi que je tombe sous son charme.

— Je prodigue le même soin à mon frère, dis-je pour le calmer en deux secondes avec cette réponse.

— Ah, je vois.

Il semble déçu de ma réponse, ça me fait rire. Si tu savais mon pauvre. Je sens ses muscles se détendre. Sa tête devient lourde, il tente de contrer les effets des toxines, c'est inutile. Je profite de son état pour sortir de la pièce afin d'aller récupérer ma besace avant de revenir vers lui. Je le contourne puis me place dans son dos. Posant mon sac à côté de Costa, j'empoigne mon couteau, puis me penche à son oreille.

— Comment tu te sens ?

— Je n'arrive plus à bouger, qu'est-ce que tu as foutu ? demande-t-il furieux en me criant dessus.

Le bruit de la foule couvre son hurlement, mais par précaution je lui fourre un tissu dans la bouche.

— Oh mon chou, je n'ai pas encore commencé. Malheureusement, on va devoir aller vite. Ça sera intense, lui dis-je heureuse de lui prodiguer ma propre médecine.

Costa n'est plus capable de déplacer le moindre orteil tout en étant conscient, la parole en moins désormais. Le pied !

— Tu es prêt, Connard ? Ah, oui c'est vrai ! Tu ne sais pas ce qui t'arrive. Petite information pour t'aiguiller. Tu as envoyé mon mari six pieds sous terre. Tyron n'est plus là à cause de toi et de ton patron. Il paiera bientôt, pour l'instant, c'est toi qui vas souffrir.

Je me décale un peu, puis enfonce délicatement le couteau entre ses côtes. Je ne vais pas trop profondément, car je ne veux pas lui perforer les poumons. Je ne souhaite pas qu'il meure trop rapidement. Son corps a un soubresaut dû à la douleur, la drogue ne lui permet pas d'esquiver la lame. Resserrant ma prise sur la garde, je tourne doucement le couteau dans la plaie. Faisant un mouvement de va-et-vient, je suis obnubilée par le sang qui s'écoule telle une rivière dans la mer. Puissant, tout en étant tranquille à la fois. Le temps presse, je dois me dépêcher de l'éliminer avant que le combat de Montoya ne finisse et que le couloir se remplisse. Je continue donc de le percer avec ma lame puis j'applique une plus forte poussée jusqu'à trouer la membrane qui retient l'air dans ses poumons. Je regarde ses yeux s'agrandir, exprimant la gêne qu'il a pour respirer. Sa bouche s'ouvre en grand dans l'espoir de réussir à faire entrer l'oxygène. C'est peine perdue. Si j'étais sûre que personne ne puisse le trouver et le sauver, je le laisserais crever comme ça. Rien ne me permet de prendre ce risque, donc je ressors le couteau puis le place le long de sa gorge.

— On se retrouvera en enfer, mon lapin ! murmuré-je à son oreille, le sourire dans la voix.

Je tranche son gosier de gauche vers la droite. Un flot de sang me recouvre la main ainsi que le poignet. Cette couleur grenat me donne du baume au cœur. J'ai fait une bonne action aujourd'hui. Tyron serait fier de moi enfin, je l'espère. Balançant son corps presque sans vie sur le sol carrelé du vestiaire, j'observe la mare de sang se former. Ce halo rubis est magnifique à voir. Une idée me vient en regardant ce mec costaud crever comme un chien dans une ruelle. Je cherche son téléphone portable, dès que je l'ai entre les mains, un sourire naît sur mon visage. Je retourne le cadavre afin que mon interlocuteur puisse reconnaître le visage de Costa. Je monte sur le banc puis prends une photo. Sur la capture on voit la douleur survenue lors de la mort du bras droit de Flores. Ce cliché est presque artistique, une ode à la mortalité. Magnifique tableau. Je dois reprendre mon rôle de jeune femme innocente. C'est parti pour le final ! J'aurais dû avoir une carrière d'actrice plutôt que d'être une tueuse à gages. Je suis sûre que j'aurais fait fureur ! Je planque le téléphone dans mon dos puis je quitte de la pièce en hurlant.

— Au secours ! crié-je en simulant la détresse.

Je cours dans la direction d'un groupe d'hommes avec écrit sécurité sur leurs vestes qui venait dans ma direction.

— Que se passe-t-il, mademoiselle ? Vous êtes blessée ?

— N… non, j'étais dans le vestiaire de mon frère quand j'ai entendu du bruit, comme une bagarre. Il m'avait dit de ne pas quitter la pièce donc je n'ai pas bougé. Mais quand plus aucune agitation ne m'est parvenue, j'ai entrouvert la porte. J'ai découvert un homme au sol, couvert de sang. Je me suis approchée pour essayer de le secourir… c'était déjà trop tard. Il est mort ! hurlé-je de nouveau en ajoutant une crise de larmes.

— Merde, où ça ? m'interroge un type inquiet après avoir entendu mon histoire.

— Là !

Je montre la direction de Costa du bout du doigt. Mes mains sont ensanglantées ainsi que mes vêtements. Montoya arrive en courant vers moi. Je vois sur son visage le choc, mais il se reprend rapidement.

— Que s'est-il passé ? demande-t-il vraiment apeuré en voyant mon état.

— Il est… il est…

— Votre sœur est traumatisée par ce qu'elle a vu, Mr Montoya. Costa est mort, c'est elle qui l'a découvert, l'informe un gars de la sécurité.

— Merde, je suis désolé ma puce. Viens, je vais t'emmener à l'hôpital. Tu dois être ausculté par un médecin, me dit-il pour m'aider à fuir les lieux.

— Allez-y, on s'occupe de tout. Votre sœur ne sera pas inquiétée. Je dirai que c'est moi qui ai trouvé le corps.

— Merci mec.

— Mon sac ! Il est resté dans la pièce. J'ai besoin de mes papiers pour le dossier à l'hôpital, je réagis avant de partir.

— Ne bougez pas, nous indique un mec qui entre dans le vestiaire récupérer mes affaires.

Nous quittons donc le bâtiment, je suis à l'abri dans les bras de Montoya. Arrivés à sa voiture, il surveille les alentours pour être sûr que personne ne nous regarde, je quitte de mon rôle de victime.

— Voilà, nos chemins se séparent dès maintenant.

— Vous me faites flipper, dois-je craindre pour ma vie ou celle de mon entourage ?

— Absolument pas, je n'ai qu'une seule parole. Vous m'avez beaucoup aidée donc nous sommes quittes. Prenez soin de vous.

Quand j'arrive à mon véhicule qui est stationné dans un coin sombre, je prends de quoi me nettoyer. Je ne peux pas me permettre d'attirer l'attention en circulant dans la ville les mains et le visage ensanglantés. Je dois me dépêcher, il me reste encore une chose à faire cette nuit.

Chapitre 32

Je ne veux pas perdre ma cible principale, Giovanni. Je fonce jusqu'à chez lui. ! Je prends le téléphone de Costa afin d'envoyer le cliché du cadavre de celui-ci à Flores pour qu'il comprenne qu'il sera le suivant sur ma liste.

— Rendez-vous au purgatoire mon pote, je vais t'envoyer rejoindre les flammes de l'enfer. À bientôt

J'appuie sur envoyer puis balance le portable dans une bouche d'égout. Je me stationne au coin de sa rue, dix minutes après avoir reçu mon message funeste, j'aperçois des phares de voitures au niveau de sa demeure. J'observe le ballet d'hommes agités sortir de la maison, puis aller les bras chargés de valises dans les véhicules. Peu après, trois 4x4 noirs démarrent. Je décide de les suivre discrètement malgré la vitesse excessive à laquelle ils roulent. J'arrive tant bien que mal à les garder à vue tout en réussissant à repérer la direction empruntée.

Giovanni quitte la ville pour se mettre au vert, je suppose. Visiblement, il a pris ma menace au sérieux.

Le fait que je réussisse à dézinguer son bras droit a dû lui indiquer qu'il n'avait pas affaire à un bleu. Il doit craindre de subir le même sort. Après une demi-heure de route, les bolides prennent un chemin de terre qui doit sûrement mener à une maison à l'abri des regards. Je m'arrête un peu plus loin, puis cache ma petite Fiat dans un chemin de forêt un peu éloigné de celui-ci. Allant dans mon coffre, je prends un sac à dos dans lequel se trouve le matériel que j'ai prévu pour m'occuper de lui et ses hommes. Je décide de faire le trajet à pied en restant camouflée par les arbres à l'orée du bois. Mon avancée est rapide, car je vois, grâce à la pleine lune, à travers les troncs, la route qu'ils ont empruntée. Je conserve mon avantage en ayant réussi à les suivre, sans qu'ils ne me repèrent. Au bout de trente minutes de marche, éclairée par la pleine lune, j'aperçois une maison de grande taille, les véhicules sont stationnés sur le côté droit de celle-ci. Depuis le chemin, il est impossible de les voir. Je décide de me planquer derrière le tronc d'un chêne.

De ma position, j'ai une vue d'ensemble sur la bâtisse. Je sors de mon sac des jumelles infra-rouge. Il y a quatre gardes armés qui sécurisent la demeure. Je ne dois pas faire de bruit sinon je suis sûre d'être repérée. M'installant aussi confortablement que possible, je regarde ma montre. Il est trois heures quarante. Je vais laisser retomber la pression et l'adrénaline qui a suivi l'annonce brutale de la mort de Costa. Quand ils verront que rien ne se passe, les gars en positions qui protègent cette merde de Giovanni Flores seront moins sur le qui-vive. Après quarante-cinq minutes d'inaction, l'attention ainsi que la concentration des gardes se relâchent considérablement. Les armes des hommes de main de Flores, qui à leur arrivée, étaient contre leurs poitrines, sont dorénavant le long de leurs jambes. Ce relâchement m'est bénéfique, il serait regrettable de ne pas en profiter. Je me relève discrètement pour sortir mon pistolet sur lequel, j'installe un silencieux. Me positionnant sur le côté de l'arbre tout en restant dans l'ombre, j'observe les emplacements des gardes du corps de ma cible principale. Ces abrutis se sont radicalement laissés engloutir par le calme et la noirceur de la nuit. Je vérifie que mon chargeur est plein, puis j'en mets un de secours dans l'élastique de mon pantalon au niveau de ma hanche gauche. Une lame crantée est mise du côté droit, je ne dis jamais non à une arme de secours. Il vaut mieux parer à toutes éventualités.

Je replace mes jumelles à vision nocturne qui me permettent de voir presque comme en plein jour grâce à la lumière des étoiles qui se reflètent sur l'écran phosphorescent de mon équipement. Je vise le premier, son corps tombe comme une masse. Le gars situé de l'autre côté regarde dans la direction du bruit, mais avant qu'il n'ait le temps de réagir ma balle l'atteint à la tête. J'attends cachée dans l'ombre pour voir si ceux qui entourent le périmètre m'ont repérée. Quand je me rends compte qu'il n'y a pas de mouvement, j'avance vers l'entrée du bâtiment.

J'approche du coin puis jette un œil discret pour voir si celui qui gère la partie arrière peut me repérer. Il est dos à moi, j'avance le plus silencieusement possible. Je mets mon flingue dans mon dos, puis attrape mon couteau. Je me positionne derrière lui, puis passe mon avant-bras sur sa bouche tandis que ma main qui maintient la lame, lui tranche la gorge. J'accompagne son corps jusqu'au sol pour éviter d'attirer l'attention du dernier. J'essuie le sang sur mon pantalon, puis range mon arme blanche afin de récupérer mon pistolet. Accroupie dans l'angle de la maison, je charge celui-ci et tire une balle sur le dernier gars, en plein cœur. Il meurt comme les autres. Je laisse le silence reprendre ses droits. Je vérifie que Giovanni ne m'a pas repérée. Aucune lampe ne s'est allumée, de plus je n'entends rien de suspect. Seul le vent témoigne de sa présence. J'enfile une paire de gants pour ne laisser aucune empreinte, puis j'avance vers la porte arrière, celle-ci est verrouillée. Je sors de ma poche deux outils qui vont me servir à ouvrir le battant en bois. Mon excitation monte d'un cran, car je vais buter ce fils de pute de Flores. Les morts dehors n'étaient qu'une mise en bouche, un échauffement, mais dorénavant les choses sérieuses vont commencer.

Après avoir passé la porte, je la referme délicatement et j'observe ce qui m'entoure. Cette cahute respire le luxe avec son sol couvert de marbre. Le mobilier est de grande qualité ainsi que les appareils électroménagers, ils démontrent la richesse de son occupant. Ça en est limite écœurant, quand tu vois des personnes vivre dans la misère. Je ne suis pas à plaindre, j'ai une très belle maison, mais lui, pour une planque qu'il ne doit pas visiter souvent il s'est construit un véritable petit palais.

Après avoir effectué une visite minutieuse du rez-de-chaussée pour être sûre qu'il n'y a personne, je monte les escaliers. L'avantage de la pierre, c'est que ça ne grince pas quand on marche dessus. Quand j'arrive sur le palier, trois portes sont fermées ainsi que deux ouvertes. La salle de bain et les toilettes sont vides, je me dirige ensuite vers celles qui sont closes. La première que j'ouvre est sur ma droite. Délicatement, j'appuie sur la clenche d'une main, tandis que l'autre tient fermement mon arme. Le panneau de bois légèrement écarté, j'observe ce qui se trouve à l'intérieur. L'éclairage naturel du aux rayons lunaires me permet de découvrir couché dans son lit, le fils de Giovanni. Il dort à poings fermés, son visage d'ange me provoque une grimace. Comment un être aussi mauvais peut engendrer un petit ange aussi mignon ?

Je décide de le laisser dormir, je ne tue pas les innocents. Je m'approche de la masse endormie puis sors une seringue de mon sac. Je lui maintiens la tête sur le côté, mais mon geste le réveille. Avant qu'il ne puisse alerter son père de ma présence, j'injecte mon cocktail magique au gamin. Un mélange de somnifères et de GHB, quand il se réveillera, il aura oublié ma visite ainsi que mon visage. La seconde pièce est occupée par sa sœur pour laquelle, j'agis de la même façon puis, je me dirige vers la dernière chambre. Giovanni m'y attend bien sagement, accompagné de sa traînée de femme.

Je me positionne contre le mur, j'écoute pour voir si j'entends du bruit qui m'indiquerait que j'ai été localisée. Le seul son qui me parvient est un ronflement accompagné d'un souffle régulier moins fort. J'attends encore cinq minutes pour être sûre que je ne risque pas de me faire surprendre par ce fumier de Flores. Je replace mes jumelles à vision nocturne pour bien observer ce connard et sa salope qui dorment. Quand je suis certaine qu'il n'y a aucun danger, j'entrouvre le battant. La vue de ce gros cochon de Giovanni dormant torse nu me répugne. Sa tendre épouse n'est pas mieux, visiblement l'argent ne l'a pas aidé à s'améliorer, bien au contraire. Son chirurgien s'est sûrement enrichi avec cette bimbo. Son débardeur peine à retenir le silicone qui lui sert de seins, je ne parle même pas du botox que contiennent ses lèvres.

Mon Dieu que c'est laid, j'essaie d'imaginer l'effet que ça peut procurer d'embrasser ça.

Non, je ne peux pas.

Je retiens difficilement une envie de vomir. *Ça me fait trop penser au cul d'un babouin. J'en ai des frissons de dégoût.*

Je me positionne au bout du lit, j'observe ce « *couple* » dans les bras de morphée avant de les emmener dans un sommeil éternel.

Chapitre 38

Comment deux personnes peuvent être aussi mal assorties ? Un gros porc et une pétasse, pour ainsi dire totalement refaite. Bon, elle, à la limite je peux comprendre. Le pouvoir de l'argent nous fait faire beaucoup de sacrifices, mais Flores, je ne comprends pas. Elle dilapide franchement le compte en banque de ce con en plus de le tromper à longueur de journée d'après le rapport que j'ai. À part pour la descendance, et se pavaner au bras d'une bimbo, je ne décèle pas d'autre motivation. Enfin encore faudrait-il que les enfants soient les siens. Vu le nombre d'amants que se tape cette traînée !

Bon, passons aux réjouissances ! Je vais commencer par la bimbo. Je lui injecte dans la jugulaire un produit anesthésiant afin qu'elle ne puisse pas se barrer, celui-ci agit rapidement. En quelques secondes, il lui est impossible de bouger le moindre muscle, y compris celui des cordes vocales. Je n'ai pas spécialement envie d'entendre la truie hurler à la mort. Giovanni n'a pas été réveillé par les quelques mouvements défensifs de sa pouffiasse. J'ai bien maintenu son corps le temps que le produit agisse. Comme quoi, ça sert de s'entraîner physiquement pour faire mon métier. Je me place du côté du fumier de mafieux italien. Il dort toujours à poings fermés. Je sors mon flingue et le pose sur son front, entre les deux yeux, puis je retire le cran de sécurité. Le bruit caractéristique de celui-ci, cumulé à la pression du canon sur sa boîte crânienne, réussit à sortir la belle au bois dormant de son état léthargique.

Les yeux de Giovanni ressemblent à ceux d'un animal pris dans les phares d'une voiture. Il semble ne pas comprendre ce qui lui arrive. Le grand mafieux est tétanisé. Visiblement, il se sentait en sécurité, grave erreur de sa part. Quand on tient une fonction comme la sienne, on ne peut pas se permettre ce genre de sentiment. Il faut toujours être sur ses gardes. Il va payer de sa vie pour cet excédent de confiance en lui.

— T'es qui sale pute ? Pour quel enfant de salaud tu bosses ? m'interroge-t-il en reprenant contenance.

— Giovanni, Giovanni, Giovanni, dis-je embêtée par ses interrogations.

Je souffle d'ennui en entendant ses questions inutiles. Que fera-t-il de cette information une fois mort ? Non, mais, franchement, il croit qu'il va réussir à s'en sortir parce que je suis une femme ? Il est vrai que pour un macho comme lui, une gonzesse n'est bonne qu'à écarter les cuisses ou effectuer les tâches ménagères en plus d'élever les enfants.

— Quelle importance ? Que je travaille pour le compte d'un de tes concurrents ou que je sois assez grande pour avoir pris la décision d'éliminer ton clan une bonne fois pour toutes ?

— Toi ? Ahahahah, laisse-moi rire ! Tu ne peux pas éliminer une mafia aussi grande que la mienne sans te faire buter avant d'avoir tué chaque membre, me dit-il avec arrogance.

— Ah oui ? Alors gros malin qui a fait disparaître les triplés les uns après les autres ? Oh j'oublie qu'il y a quelques heures, Massimo est malencontreusement tombé sur ma lame. Le pauvre, il a fini avec la gorge tranchée ! réponds-je fière de mon travail.

— Tu mens ! hurle-t-il refusant de me croire.

— Quoi ? Tu n'as pas reçu la photo de Costa avant de t'enfuir de ta maison accompagné de tes sbires ?

— Comment c'est possible ? se posant la question à lui-même incrédule.

Il semble avoir du mal à m'imaginer en train de zigouiller ses hommes. Il ne sait pas à qui il a affaire

— Quand on est professionnelle comme je le suis, rien n'est impossible !

— Tu ne t'en sortiras pas vivante, j'ai des hommes dehors tandis que d'autres sont en route. Ils vont vite te trouver et il en sera fini de toi.

— Pour information, juste entre toi et moi, tu paies trop cher ta garde rapprochée pour trop peu d'efficacité. Entre ceux qui dorment, tandis que les autres préfèrent avoir les yeux sur leurs portables à regarder un porno ou à jouer à Candy Crush… Franchement, les gardes du corps ce n'est plus ce que c'était. Je m'en suis déjà occupée de tes gars. De vrais amateurs, soit dit en passant. Désolée pour le sang partout, je n'ai pas réussi à me retenir de les éventrer.

Il ne sait pas que je lui mens, c'est tellement bon de voir le changement sur son faciès. Pour le coup, je pense qu'il commence à se rendre compte que je ne suis pas là pour rigoler.

— Tu veux quoi ?

— Éradiquer de cette planète ton trafic de merde. En bonus je compte t'envoyer en enfer. Je crois que ça résume bien mes attentes pour ce soir.

— Pauvre idiote, tu peux me tuer, malgré tout mon affaire restera bien en activité.

— Avec tes chefs de réseaux, six pieds sous terre, je ne vois pas comment !

— Tu veux que je te confie un secret ? Pour tout le monde, le chef c'est moi, cependant dans l'ombre il y a le vrai leader qui gère. Je ne suis que son faire valoir.

— Mensonge ! C'est l'empire de ton père, il n'aurait jamais refilé son business alors qu'il avait son fils pour reprendre les rênes.

— C'est vrai, enfin en partie. Je ne suis pas le seul enfant de mon défunt paternel, me dit-il avec un rictus, ses yeux criant la jouissance de m'avoir fait fermer ma gueule.

— Léandro est loin du milieu qu'est le tien. Je me suis renseignée sur lui. Son seul objectif dans la vie est de s'occuper de sa fille, réponds-je avec moins de conviction que je ne le voudrais.

Qu'est-ce qu'il raconte ? Ce n'est pas possible qu'un truc aussi gros que ça me soit passé sous le nez ?!

— AHAHAHA, comme c'est intéressant. Tu appelles mon frère par son prénom. Moi qui pensais que tu étais intelligente. Si tu ne me crois pas, regarde dans mon téléphone, tu verras qui ment ou pas. Pourquoi devrais-je mourir en son nom ? Autant nous réunir dans l'au-delà, en famille.

Je vérifierai plus tard ses dires, mais je ne peux pas y croire. Je ne souhaite surtout pas perdre la face devant cet enfant de salaud ! Léandro est un homme discret, éloigné de sa famille criminelle pour le bien de sa fille. Il est impossible qu'il n'a jamais été repéré par nos hommes qui surveillent Giovanni depuis des années. Surtout, je ne peux pas m'être trompée sur ce mec, mon instinct ne se trompe jamais. Je sens au plus profond de moi qu'il n'est pas un homme mauvais comme son frère. J'espère ne pas m'être faite avoir par l'image qu'il renvoie comme ça, je n'aurais pas à le tuer. Giulia ne mérite pas de devenir orpheline.

— Tu cherches seulement à me mettre le doute, sache que ça ne fonctionnera pas. Je vais te buter, après tout le monde se portera mieux sans toi.

— Crois-le ou pas, je m'en fous. Je suis un homme mort, donc pour moi ça ne changera rien. Je peux au moins savoir pourquoi tu m'en veux ?

— Tyron Clayton, réponds-je sans rien ajouter de plus tout en essayant de cacher ma tristesse.

— Oh je vois, tu étais une de ses putes ? me nargue-t-il avec un sourire.

Mon sang ne fait qu'un tour, je lui colle une balle dans l'entre-jambes puis une dans chaque genou. Il hurle de douleur, ses mains ne savent pas où se placer entre, ce qui lui servait de sexe qui saigne abondamment ou ses rotules. Ça lui apprendra à raconter des conneries. Jamais Tyron ne m'aurait trompée. D'une part, car il m'aimait, mais surtout, il savait que s'il le faisait et que je le découvrais, je les aurais butés lui et la pouffiasse.

— Ferme ta gueule, ne parle pas de mon mari comme ça !

— Ah nous y voilà ! me murmure-t-il la voix pleine de souffrance, le souffle court.

— Tu veux jouer à ça ? Tu me parles de la soi-disant infidélité de mon mari, mais sais-tu que tes enfants ne sont pas les tiens ? Tu es heureux d'élever les bâtards de ta femme ? C'est fou comme « *ton* » fils ressemble à Costa alors que « *ta* » fille, c'est le portrait craché du prof de sport de ta *Gabriella*, lui balancé-je dans la gueule rageusement.

Je lance un regard explicite en direction de son épouse puis reviens vers lui.

— Ça suffit ! hurle-t-il avec hargne.

— Oh, j'ai touché un point sensible ? Je peux faire payer ta femme pour ta peine si tu le souhaites, le taquiné-je.

— Nonnn, laissez la tranquille, elle n'y est pour rien dans la mort de votre mari.

— Erreur mon ami, il faut bien que tu découvres la douleur que l'on ressent quand on perd la personne que l'on aime le plus au monde.

Je lui balance un coup de crosse sur le crâne, il perd connaissance aussitôt. Je rapproche la chaise qui est dans le coin de la pièce à côté du lit et tire sur le corps plein de graisse de Giovanni afin de l'attacher sur celle-ci. Après avoir galéré à stopper l'hémorragie de son entre-jambes, puis l'avoir hissé sur l'assise à cause de ses genoux pétés, je lui place les mains dans le dos pour les fixer bien serrées ensemble avec du scotch. J'agis de la même façon avec ses chevilles sur les pieds en bois. Je vérifie que Gabriella, sa tendre épouse botoxée, ne puisse pas bouger en lui enfonçant la pointe de mon couteau entre les côtes. Son corps ne réagit pas, mais ses yeux, eux, expriment toute sa douleur. Le tranchant pénètre dans la peau, le sang s'écoule le long du métal et va serpenter le long de sa hanche. C'est comme une danse hypnotique, je suis happée par ce spectacle. Relevant mes iris sur Gabriella puis sur Giovanni, un sourire se met en place sur mon visage. Je vais jouer avec les deux en même temps pour pouvoir me nourrir de leur souffrance.

Chapitre 84

Giovanni étant encore dans les vapes, je me dirige vers la cuisine. Je fouille dans le frigo à la recherche d'une boisson, un coca frais m'attend bien sagement dans celui-ci. Je remonte ensuite auprès du couple en sirotant ma canette. La paire de gants toujours en place sur mes mains, je touche toutes les surfaces sans m'inquiéter de laisser des traces de ma présence ici. Lorsque je pénètre de nouveau dans la pièce, Giovanni est encore inconscient.

Oh non mon gros, tu vas ressentir chaque acte que je vais t'infliger ! La rage remonte tel un tsunami en repensant aux dernières paroles de Tyron.

Tu vas payer pour ce que tu lui as fait ! Par ta faute, entre autres, je suis privée de mon mari alors tu vas le regretter. Je te le promets.

Je pose le contenant désormais vide sur la commode proche de moi et prends dans mon sac un sachet. Celui-ci contient, un produit sous forme de barrette qui une fois qu'on la casse, émet une odeur forte qui le réveille immédiatement. Tadam ! C'est encore mieux que de la magie ce truc. Voir son visage rempli d'incompréhensions, mais également que la douleur se rappelle à lui est assez comique à observer. Son facies passe de « *que se passe-t-il ?* » à « *je vais crever, je suis en train de me vider de mon sang* » en quelques secondes. C'est agréable de voir la crainte dans les iris d'un homme si sûr de lui quand il est entouré de sa garde rapprochée.

Minable petit insecte, je vais t'éradiquer de la surface de cette terre !

Mon air diabolique bien en place sur mon visage, je sors de ma besace un marteau ni trop lourd ni trop léger. Mon regard se pose sur mon cher Giovanni, je soupèse l'outil en le soulevant plusieurs fois, tout en le faisant tourner dans ma paume. La peur dans ses yeux se reflète au fur et à mesure que mon sourire grandit. Le poids est idéal pour infliger assez de douleur, mais aussi pour casser des os sans trop se fatiguer. Ma force est supérieure à celle des femmes lambda grâce à mes entraînements quotidiens. Je n'irai pas jusqu'à dire que je suis

Hulk loin de là, mais j'ai travaillé assez durement pour apprendre des techniques qui me permettent de compenser. Il faut se donner beaucoup de mal pour atteindre ses objectifs.

Mes paroles peuvent paraître égocentriques ou faire penser que je me la raconte, elles résultent simplement d'un travail acharné pour pouvoir accomplir mon job convenablement.

Je suis souvent amenée à faire disparaître des hommes bien plus lourds et costauds que moi.

Depuis la fin de notre conversation, ce grand gaillard n'a pas sorti un seul mot. Des hurlements de douleur en revanche, oui. Il tente de garder pour lui cette souffrance en serrant des dents, malheureusement pour Flores, il est impossible de garder pour soi le supplice qu'il ressent. Il semble avoir compris qu'il ne servait à rien de discuter pour sauver sa peau. Mes intentions étant bien établies dans son esprit, il a décidé de garder les lèvres scellées. La douleur due aux balles qu'il a reçues tout à l'heure l'a grandement calmé. Giovanni se contente de tenter de retenir les larmes qui sont prêtes à quitter ses yeux. Cependant, en tapant là où ça fait déjà mal, il lui est impossible de se contenir davantage. Sans qu'il n'ait le temps d'analyser quoi que ce soit dans mon comportement, je lui balance un grand coup dans le ménisque. Un craquement sourd accompagné d'un cri de souffrance se font entendre dans la pièce qui, jusque-là, était silencieuse. Je compte bien l'entendre hurler jusqu'à son dernier souffle.

Oh que j'aime avoir le rôle de l'ange de la mort !

Je réitère mon geste sur l'autre jambe.

Il n'y a pas de raison de la délaisser, j'ai horreur du favoritisme.

— Comment ça va Gio-Gio ? Oui, j'ai décidé de te donner un surnom à la con, pour un connard comme toi, c'est bien assez.

— Salope ! Tu vas crever des mains de mon frère.

— Laisse-moi rire, tu veux dire que Léandro qui, il y a à peine quelques jours, me baisait sous son toit, va me faire la peau ? Humm, je ne crois pas. Ne t'inquiète pas, c'est moi qui vais me charger de son compte.

Quand je pense que ce fils de pute nous a tous dupés depuis le début ! Comment Tyron aurait pu passer à côté de cette information plus que capitale ? Bordel, il savait tout sur ses ennemis, même l'heure à laquelle ils allaient pisser. Alors, louper un truc aussi énorme, je ne comprends pas ce qui aurait pu merder à ce point-là. Est-ce possible que Léandro sache qui je suis par rapport à Tyron ? Non, c'est impossible, j'aurais vu dans son regard s'il connaissait ma véritable identité. Avec tous les cadavres de ses lieutenants que j'ai abandonnés derrière moi, il aurait largement eu le temps et l'avantage sur moi pour me faire disparaître. Je refuse de croire que je me sois fait abuser aussi facilement par lui, sa fille, mais surtout par sa putain de tendresse. Non, ça, je ne peux pas l'accepter ! Je vais vérifier tout ça quand j'en aurai fini avec ce gros tas de merde de Giovanni. Un soi-disant chef de la mafia italienne, mon cul, tiens ! Une fillette tiendrait mieux face à la douleur.

— Il... il t'a baisée et tu es encore en vie ? Pas possible, il savait qu'une personne nous éliminait tous chacun notre tour malgré tout, il a pris le temps de te... dit-il nerveux et en colère à la fois, ne comprenant pas les actes de son frangin.

— Oui mon grand, ton vilain frère a préféré se vider les couilles plutôt que de vous protéger !

— Impossible, il aurait dû te repérer, c'est le meilleur pour ça. Il savait que ton putain de mec était marié et avait débusqué sa précieuse femme. Je pensais qu'il avait pris une pute pour épouse à cause d'une grossesse. Pour avoir un héritier, mais pas ça. Léandro doit t'avoir reconnue. Bordel, quel enfoiré ! Il n'a jamais voulu me dire l'identité de cette bonne femme ni me montrer une photo. Je comprends mieux pourquoi. Ce bâtard a décidé de te laisser nous buter, juste pour pouvoir t'approcher, puis te mettre dans son plumard ! Je ne vois que ça comme explication, sinon pourquoi risquer la mort de son trafic si ce n'est pour le cul ou même pire, par amour. Il y a quelque chose qui cloche ou alors tu me mens ! Ahhhhhhhh

La colère lui a momentanément fait oublier la douleur, mais celle-ci se rappelle à son bon souvenir.

— Ta gueule ! hurlé-je désespérée par ce qu'il vient de me raconter.

Je n'écoute plus ses jérémiades et reste dans mes pensées pour remettre tout ce que je sais en perspective.

Non, non, non. Je n'y crois pas, si ce que Giovanni dit est vrai, alors Léandro savait tout quand on s'est rencontré. Quelle conne je suis ! Je l'avais à portée de main, je ne le savais pas. Personne n'a imaginé ce scénario, moi la première. Je jure devant Dieu qu'il va le regretter si ce que Giovanni me dit est exact.

Pardon, Lucifer, je t'ai fait une infidélité ! C'est l'émotion,
je te le promets que ça ne se reproduira pas à l'avenir.

— Je vous en prie, laissez ma femme et mes enfants tranquilles. Ils n'y sont pour rien, en plus mon épouse est enceinte ! Vous n'allez pas tuer un être qui n'est pas encore né, c'est une forme de vie tout de même, essaie-t-il de me prendre par les sentiments.

— Putain, t'es sérieux ! Tu défends encore cette traînée ? Ai-je vraiment une tête à croire à toutes tes conneries ? Ta soi-disant « *poule pondeuse* » s'envoyait, y'a pas quinze jours, deux mecs en même temps. Double pénétration sous cocaïne d'après mes sources ! Donc pour une future maman, elle n'est pas top, niveau bon développement d'un fœtus. Merci à ton employée de maison qui, contre une bonne somme d'argent, communique des informations croustillantes. J'ai payé du monde pour faire des recherches sur ta famille et sur tes fréquentations. Comme les triplés, Costa, etc. avant de venir, lui indiqué-je avec amusement.

— C'est faux ! Jamais elle ne ferait ça à notre bébé.

— Tu veux qu'on vérifie un truc ensemble ? Allez, soyons fous et ouvrons-lui le bide. Je ne suis même pas sûre qu'elle soit véritablement en cloque de toute façon ! proposé-je pour m'amuser un peu, car je commence à m'ennuyer.

— Nooooonnnnnn, pas ça, m'implore-t-il en pleurant de douleur, mais également de désespoir.

Jouons un peu, j'en ai marre de l'entendre pleurnicher sur le sort de cette salope sans vergogne. Je descends dans la cuisine pour prendre un couteau avec une longue lame. Celle-ci est bien tranchante, ça va être génial pour ouvrir son ventre en deux. Quand je pense que Tyron et moi voulions un enfant, ce rêve restera ce qu'il était. Une chimère par leur faute ! Une rage monte de façon fulgurante dans tout mon être. Je resserre mon emprise sur le manche et remonte dans la chambre qui sera bientôt de nouveau remplie de l'odeur ferreuse caractéristique du sang. Un régal pour mon âme noircie par les nombreuses personnes qui ont trépassé avec mes mains souillées. J'entre en trombe dans la pièce, grimpe sur le corps de Gabriella. Son regard m'informe de la terreur qui l'habite.

— Regarde bien ce qu'il se passe quand tu m'implores de sauver la vie de ta pute !

J'enfonce la lame d'un coup sec dans la peau de son ventre. Giovanni s'arrache les cordes vocales en hurlant tout en m'invectivant de la lâcher. Pas de bol, la haine que je ressens pour lui ainsi que sa famille coule dans mes veines. Il m'est impossible de m'arrêter, même si je le voulais je ne le pourrais pas, car la bête en moi est réveillée. Elle demande le liquide vital pour se nourrir jusqu'à la mort de Gabriella. Le sang de celle-ci apaise quelque peu la frénésie qui m'a envahie. Je me concentre, découpe méticuleusement la paroi abdominale jusqu'à arriver de l'autre côté de son corps. Ce qui était au départ un petit filet vermeil sortant de la plaie devient comme une vague qui déferle sur une plage. Chaque fois que la lame ressort de son bas-ventre, l'hémoglobine recouvre de plus en plus sa peau, mon pantalon ainsi que les draps. Le matelas va avoir du mal à recevoir une si grande quantité sans en recracher sur le sol.

Quand je finis le travail de découpe, je dépose le couteau sur sa poitrine. Le visage d'une démente sûrement imprimé sur mon visage, je mets mon doigt sur la plaie qui sera bientôt béante en la suivant du début à la fin. La chaleur émise par la sève de vie de Gabriella me réconforte. Je ne peux me retenir et enfonce mes mains dans la cavité que j'ai ouverte, je fouille à l'intérieur. L'espace étant restreint, comme j'ai besoin d'espace, je sors l'intestin de la cavité abdominale. En sortant la longueur impressionnante du tube torsadé de Gabriella, une folle frénésie m'emporte. J'accélère le mouvement pour pouvoir arriver jusqu'au bout, c'est limite hypnotique, voire addictif. Le corps de mon jouet inactif bouge inlassablement et le bruit que fait l'intérieur de l'abdomen m'électrise.

Je ne saurais décrire le son, imaginez des trucs visqueux se touchant tout en faisant un appel d'air en même temps. Ça se rapproche d'un bruit de succion ou de ventouse. C'est assez intéressant, dommage que j'ai les mains pleines de sang et de graisse, sinon j'aurais enregistré ce son peu commun.

Je ne ressens pas la présence d'une supposée grossesse, pas de masse inhabituelle au niveau de son utérus. J'observe Gabriella juste à temps, la vie quitte son corps, mais également son regard. La dernière chose qu'elle voit avant de mourir est mon air satisfait. La jubilation dépeinte sur mes traits démontre mon manque total d'empathie, mon côté démoniaque est bien présent à cet instant. La souffrance dans les iris de Gabriella m'exalte. Elle a enduré de la brutalité à l'état pur jusqu'à ce que celle-ci l'emporte. Aucune chance de survivre après avoir été éventrée ainsi. Ressortant mes membres devenus rouges par mon introduction macabre, je les admire avant de les porter à mon visage, pour m'en étaler le liquide.

Sortant de ma transe, mon ouïe revient, tout ce que j'entends me réjouit encore plus que de voir le cadavre de cette poupée Barbie. Giovanni pleure bruyamment la perte brutale de sa femme.

Ne t'inquiète pas mon ami, ton tour arrive !

Chapitre 38

— Tu as mal de voir ta pétasse les boyaux à l'air ? Voir le sang s'écouler à jamais de son corps te fait souffrir ? Imagine ce que j'ai ressenti quand vous avez transpercé mon mari de balles. Entendre chaque impact sur la carrosserie, les crissements de pneus sur l'asphalte, la souffrance dans sa voix. Essaie de te mettre à ma place quand j'ai vu son cadavre troué de toute part en plus d'être abîmé par la collision avec le poteau sur le bord de cette route. Je voulais te faire découvrir la souffrance. Tu comprends désormais la douleur d'un cœur qui se brise en mille morceaux. Toi, comme les autres ordures que vous êtes, m'avez arraché l'homme de ma vie. À cause de vous je ne connaîtrai jamais le bonheur d'être la mère des enfants de mon âme sœur. Tu vas d'ailleurs souffrir encore plus en apprenant que je vais égorger tes enfants pour être sûre que jamais un Flores ne fera à nouveau du mal. Plus jamais, tu m'entends ! lui crié-je dessus pour que mes paroles aient plus d'impact.

Je lui laisse croire certaines choses pour le torturer le plus possible. Bien sûr, seule moi, sais la part de vérité dans mes paroles.

— Non, s'il vous plaît. Tout, mais pas ça ! Tuez-moi, allez-y ! Je vous en conjure, laissez-leur la vie sauve. Ils n'y sont pour rien, en plus ils ne savent même pas ce que je trafique, tente-t-il de m'amadouer.

— Et mon rêve de devenir mère, vous en faites quoi ? Tu vas crever en sachant qu'à cause de toi et ton avarice, toute ta famille va le payer de sa vie.

— Non, s'il vous plaît !

— Ça suffit ! Accepte ton sort ainsi que celui des tiens. Tu sais ce qu'on dit ? Œil pour œil, dent pour dent !

Je l'observe une dernière fois, puis passe dans son dos. Je pose ma main gauche sur son front puis place la lame du couteau qui a servi à éventrer sa femme sur sa gorge.

— Pense à tes enfants et à ce qu'ils vont subir dans quelques minutes, lui balancé-je en guise d'au revoir.

Je ne lui laisse pas le temps de réagir et tranche la jugulaire. Le réflexe de toute personne dans cette situation est de placer ses mains sur l'épanchement de sang. Pas de bol pour lui, ayant les mains attachées, il a dû se contenter de ressentir sa mort sans pouvoir au moins essayer de stopper l'inévitable. La plus belle torture est celle psychologique que je viens d'infliger à Giovanni. Lui faire croire que j'allais tuer ses enfants. Je suis peut-être une meurtrière, mais je le dis et le répète, je ne touche pas aux êtres innocents. Je passe par la salle de bain pour me nettoyer. Mon reflet dans le miroir démontre la barbarie dont j'ai fait preuve avec ce couple maudit. Je passe méticuleusement mes gants sous l'eau pour les nettoyer au mieux. Je les jetterai plus tard, loin d'ici, pour qu'aucune trace ADN ne soit retrouvée sur place. Mon visage est le suivant à être décrassé. Je suis obligée de frotter énergiquement mon épiderme pour effacer le sang qui a séché. Après plusieurs minutes ma peau est toute rouge cependant elle ne comporte plus d'hémoglobine. Je quitte la pièce, l'eau dévalant le long de mon cou puis s'échouant sur le sol.

Je retourne dans la pièce devenue une scène de crime afin de récupérer le téléphone portable de Giovanni. Je regarde le mode de déverrouillage et découvre qu'en plus d'être imbu de sa personne, il était un idiot de première. Il n'y a pas de mot de passe, je peux donc partir de la maison des horreurs tranquillement. Les enfants découvriront demain qu'il y a un problème. Je ne les ai pas tués, mais leur laisse un mot que je pose sur leurs portes :

« *STOP ! APPELEZ LA POLICE ET N'ALLEZ PAS DANS LA CHAMBRE DE VOS PARENTS* ».

J'espère simplement qu'en voyant le sang dans le couloir, ils se rejoignent pour attendre les autorités. S'ils entrent dans la suite de leurs géniteurs, les pauvres petits vont être traumatisés à vie. Que Giovanni soit maudit et traité comme une merde en enfer, c'est ce qu'il mérite.

Je laisse derrière moi des empreintes de pas ensanglantés qui me suivront sur plusieurs kilomètres, mais je m'en fous complètement. Quand j'arrive à mon véhicule, j'ouvre le coffre et sors des affaires de rechange. Je me déshabille puis fourre ma perruque, mes vêtements souillés ainsi que mes chaussures dans un sac poubelle. Une fois « *propre* », je mets le contact pour quitter les lieux sans un regard en arrière. Après plusieurs dizaines de kilomètres, je vois une décharge sauvage éclairée par le soleil levant. Je prends le chemin qui mène à l'amas d'ordures. Je décharge les preuves m'incriminant, ensuite je sors du tas de déchet, un journal. Je forme une montagne avec mes affaires. Dans mon coffre se trouve un petit bidon de produit inflammable que je déverse complètement sur « *mes poubelles* ». Sortant un briquet de ma poche, j'allume un morceau de feuille, puis le lance afin que les preuves de ma soirée animée disparaissent. Je laisse se désintégrer mes affaires, dès que les flammes sont assez hautes et que tout se passe comme je le souhaite, j'ajoute ma paire de gants. Une fois sûre que tout a brûlé, je repars à mon hôtel.

Quand j'arrive dans mon logement pour encore quelques heures, je file dans ma salle de bain prendre une douche. J'ai besoin de délasser mes muscles et de décompresser un minimum. Demain sera un autre jour, je compte bien prendre mon temps pour éplucher chaque conversation entre les deux frères. Si Léandro s'avère être vraiment ce que m'a dit Giovanni, je vais péter un plomb. Je risque d'agir sous le coup de la colère. C'est pour cela que je décide d'attendre d'être reposée pour découvrir la vérité.

Après un petit déjeuner, je me pose sur mon lit puis prends le téléphone de Giovanni. Il est l'heure de voir dans quel merdier je suis tombée. Je ne perds pas de temps et vais directement dans la liste d'appel. Celle-ci ne m'apprend pas grand-chose, alors je regarde les messages. Hormis quelques échanges dégueulasses de Giovanni avec ses maîtresses et ceux avec ses hommes, je ne vois rien d'intéressant. En descendant la liste, je repère le prénom de Léandro. C'est un premier choc pour moi. Malgré nos recherches, rien ne pouvait nous démontrer qu'il y avait une quelconque relation entre les deux hommes. En regardant de plus près le numéro de téléphone affiché, je me rends compte qu'il est différent de celui que je connais. Visiblement, il doit s'agir d'une ligne prépayée qui ne doit servir qu'aux échanges entre les frères. Je décide de lire leur communication et tombe des nues. Léandro donne des ordres à Giovanni, indiquant comment procéder pour effectuer des livraisons ou en donnant des lieux de rendez-vous. Il demande des explications au sujet d'un problème avec un agent des douanes véreux qui semble devenir gourmand. Il ordonne même à son frère d'exécuter un de ses hommes devant les autres pour montrer qu'on ne peut pas le prendre pour un con. Je m'aperçois que le type que je pensais gentil, doux en plus d'être aimant est en fait un mafieux intransigeant et froid. Il est dur avec les personnes qui bossent pour lui afin de maintenir son organisation au sommet.

Quand je découvre le message qui concerne Tyron, je suis abasourdie par ce que je lis.

[Il est temps que cette merde de français disparaisse. Organise un rendez-vous téléphonique avec notre acheteur de New York pour que Tyron Price vienne le rencontrer. S'il refuse de se joindre à notre action, préviens-le qu'on est au courant pour sa maîtresse. Sa femme risque de ne pas trop apprécier de l'apprendre. Ce con craint « *bobonne* » alors il faut jouer cette carte. S'il refuse malgré tout, dis-lui qu'un accident est vite arrivé. Le message devrait être assez clair pour le faire réagir.]

C'est Léandro qui a tout organisé, je ne comprends pas. Mais surtout pourquoi l'appeler Tyron Price ? Serait-il possible qu'il ait utilisé ce nom d'emprunt pour couvrir ses traces et pour préserver mon identité ? Pourtant, il utilisait le nom de Tyron Boyer sur tous les papiers que j'ai eus entre les mains où sur les mails qu'il envoyait. Je ne capte rien, il n'a jamais mentionné cet alias en ma présence. Il n'y a qu'avec moi qu'il utilisait le nom de Clayton. Tyron avait pris cette identité pour me protéger de ses ennemis, c'était notre nom rien qu'à nous. Mon mari ne me cachait rien enfin c'est ce que je pensais. Visiblement ce n'est pas aussi simple. Putain, c'est quoi ce bordel ? Tu jouais à quoi Tyron ? Je me lève pour faire les cent pas. Mon esprit part dans tous les sens. Il me manque des informations que je compte bien découvrir en rentrant à la maison. Pour le moment, je vais me calmer avant d'aller faire parler Léandro. Dire que j'ai couché avec ce fumier et que j'ai aimé ça ! Quelle imbécile je suis !

Je m'auto-flagellerais ultérieurement, je dois gérer ce fourbe de Léandro dans un premier temps.

Chapitre 36

Après avoir pris le temps de me calmer suffisamment les nerfs, je décide de me rendre chez cette ordure sexy de Léandro Flores. Pourquoi ce mec m'attire autant qu'il m'inspire de la haine ? D'accord, j'avoue avoir flashé sur l'image qu'il a accepté de me montrer, cependant une dualité de personnalité se cache en lui. Le bon père célibataire, gentil et aimant puis le monstre calculateur, froid qui gère un empire criminel en sous-marin. Faut dire qu'il a bien organisé son business, montrer aux autres son frère comme chef, tout en restant dans l'ombre et donner les ordres. Je crois que personne n'a compris son système de gestion jusqu'à aujourd'hui.

Ce génie du crime me doit des réponses. Je compte bien les obtenir, peu importe la façon de procéder. En arrivant devant sa maison, je regarde l'heure affichée sur l'écran de la console centrale de ma voiture. Quinze-heure-vingt-neuf, la petite est normalement à l'école donc je ne devrais pas la voir. Léandro, aucune idée. Travaille-t-il ? C'est ce que je vais découvrir, il est hors de question que je quitte les lieux sans comprendre pourquoi je me retrouve veuve.

Je continue ma route puis me dirige vers l'arrière de l'habitation, autant me la jouer discrète. Je ne veux pas éveiller les soupçons de Léandro, s'il voit ma voiture dans sa rue. Une fois le moteur coupé, je jette un œil dans les environs, rien à signaler, personne ne semble m'observer. C'est le calme plat, je sors donc de l'habitacle puis passe au-dessus de la clôture en bois en montant sur le capot de ma bagnole pour gagner quelques centimètres. Mes pieds se posent sur la pelouse fraîchement tondue, ce fumier a même mis en place la piscine pour Giulia.

Putain de père parfait !

Je m'approche de la porte-fenêtre qui mène au salon et m'aperçois qu'elle n'est pas bien fermée. En effet, le battant n'est pas enclenché, il me reste plus qu'à la faire coulisser. Prenant mon flingue de la main droite, je glisse la vitre de l'autre. Je pénètre dans le domicile de Léandro, puis stoppe mes mouvements. Je suis à l'affût du moindre bruit à l'intérieur, tout semble calme. Décidant de vérifier que les lieux sont vides, je fais le tour de chaque pièce. Il n'y a personne. M'approchant de la cuisine, je découvre une enveloppe disposée sur la table, en l'observant de plus près, je découvre mon prénom inscrit sur celle-ci. Pourquoi Léandro a posé ça là ? La curiosité prenant le dessus, je l'ouvre et en sors une épaisse liasse de feuilles. Sur la première page se trouve une lettre manuscrite qui m'est adressée.

C'est quoi ce bordel ?

Je lirai sa missive après, il y a trop de documents entre mes mains et il m'est impossible d'attendre pour voir de quoi il s'agit.

Je découvre ce qui semble être un échange de mails entre Léandro et Pavel Magomedov, le chef de la mafia russe. D'après ce que je lis, c'est Pavel qui a contacté Léandro afin de proposer un deal. Le contrat qu'il lui propose, c'est de faire disparaître Tyron en s'associant dans le but de se partager le business. Les Italiens récupèrent les clients de mon homme en Europe et les Russes, aux états unis ainsi que les pays de l'Est, proche de chez eux. Magomedov garde également le réseau de prostitution. C'est quoi cette histoire ? Tyron n'a jamais trafiqué avec les femmes, les armes ramènent suffisamment alors, pourquoi s'emmerder à gérer des putes ? Ce n'est pas possible, il doit il y avoir une erreur.

Je reprends ma lecture, Léandro a validé le contrat en échange d'une somme plus conséquente que celle proposée initialement. Les filles vont rapporter un paquet de pognon à Pavel. Le deal a été accepté par les deux parties. Sur la feuille suivante, il y a une copie du transfert de fonds entre les mafieux.

Ensuite, ce sont des documents médicaux que j'observe sans comprendre le lien avec le reste. Sur le haut de la page, il y a le nom d'un hôpital à New York, ainsi que celui d'un urologue. Il s'agit d'un compte rendu d'un acte médical subit par Tyron. Une vasectomie ainsi que les résultats de deux spermogrammes effectués avant et après l'opération. Cet enfoiré avait les têtards bien vigoureux. Il a décidé de me priver de la joie d'être la mère de ses enfants. La colère en moi monte comme une flèche, pourquoi m'a-t-il fait ça ? Putain, je l'aimais comme une folle. Les papiers que je tiens se retrouvent en boule dans mon poing. Mon regard se pose sur une photo de Tyron qui porte un enfant contre sa taille, tout en tenant une femme par la main. Leurs doigts sont mêlés, le couple se regarde amoureusement. C'est qui cette pute ?

Surtout à qui est ce garçon ? J'observe de plus près l'allure de la pouffe et la trouve « *pétasse* ». Son visage semble refait.

Vive le botox !

Elle est maquillée à la truelle, visiblement un pot de peinture a été utilisé pour boucher tous les pores de sa peau. Pas sûre que celle-ci puisse respirer avec tout ça. Habillée comme une fille de joie, vulgaire à souhait. Que fou Tyron avec ce cageot sur pattes ?

Je regarde la suite des documents préparer par Léandro, j'y découvre d'autres images dérangeantes de mon traître de mari avec ce qui semble être sa maîtresse. Putain ! Si ça se trouve, c'est moi qui l'étais. Comment j'ai pu ne rien remarquer ? L'amour m'a-t-il rendu aveugle à ce point ? Un papier finit par m'écœurer, un acte de naissance. Le petit est bien de ce salaud, il l'a reconnu sous un nom que je ne connais pas, cependant la photo sur la fausse pièce d'identité est bien la sienne.

— Je ne comprends pas pourquoi tu m'as tout légué si ta précieuse famille existe, pensé-je à voix haute.

— Pour que tu ne l'apprennes jamais, son but était que tu fasses le sale boulot afin de le venger. Comme ça, sa pute et son bâtard ne sont pas visés par ses ennemis. La belle vie pour eux, une mort certaine pour toi. Il n'en avait rien à foutre que tu vives ou non. Seuls ton métier et ton côté sociopathe l'intéressaient. En bonus, tu es sexy et intelligente.

Bordel, j'étais tellement focalisée sur ce que je voyais que je ne l'ai même pas entendu rentrer. Pour l'effet de surprise, on repassera. Comment sais-tu tout ça ? Enfin je veux dire, pourquoi vouloir me montrer ça ? demandé-je suspicieuse.

— Je sais tout sur ce fils de pute. Je le suis depuis des années. J'ai découvert ton existence par hasard, j'ai fait ma petite enquête. Ton mariage, ton secteur d'activité, ta vie. Je connais tout de toi, m'informe-t-il heureux d'avoir réussi là où d'autre ont échoué.

— C'était ton rival, je comprends, cependant Tyron a toujours été prudent en ce qui concerne mon existence dans sa vie, dis-je désarçonnée par tout ce qu'il sait de moi.

— Je t'avoue que le hasard a joué un rôle dans ta découverte. Je me trouvais en France pour un rendez-vous professionnel quand je t'ai croisée. Mon regard n'a pas su te quitter donc je t'ai suivi jusqu'à ton lieu de travail. Je t'avoue que j'ai été surpris de te voir patronne de pompes funèbres. J'en ai bandé pour ne rien te cacher. Ma trique est vite redescendue quand quelques minutes plus tard, ce connard t'embrassait. J'ai patienté dans un coin à l'écart avant de vous suivre jusqu'à votre maison. Je voulais savoir ce que tu étais, puis j'ai vu vos prénoms avec le même nom de famille.

— Pourquoi ne pas m'avoir tuée dans ce cas ?

— C'est ce que j'avais prévu, bien avant de te découvrir. Je m'étais promis que si je découvrais que ce fils de pute avait une femme, j'agirais de la même façon que lui.

— De quoi parles-tu ? demandé-je complètement perdue.

— Continue de regarder les papiers qui sont devant toi ! m'incite Léandro à continuer mes découvertes.

— Pourquoi ?

— Tu vas comprendre par toi-même, si je te l'explique, tu ne me croiras pas. Les preuves sont là et ne mentent pas, elles.

Je ne capte rien, que veut-il que j'apprenne ? Tyron m'a menti, manipulée, trahie. C'est bon, j'ai compris ! Que peut-il y avoir de pire que ça ?

Je prends les photos suivantes dans la pile puis les tourne frénétiquement sans réellement vouloir comprendre ce qu'elles me montrent. Je regarde Léandro puis les images.

— Ce n'est pas possible ! Tu les as trafiquées ! dis-je complètement ahurie par ce que je vois.

— J'aimerais te dire oui, pour que tu aies moins mal, mais malheureusement je ne peux pas.

Tyron est partout, entouré de femmes dénudées. Je vois sur le papier glacé mon mari en train de brutaliser une jeune fille d'à peine plus de dix-huit ans. Sur d'autres, il baise des corps abîmés, couverts de bleus et de marques de coups. Puis, vient le moment où ça fait tilt dans ma tête. Je prends dans ma main tremblante, l'image d'une magnifique créature, je la reconnais. Je l'ai déjà vue, ici même. Je relève mon regard, le porte sur le mur. Léandro, Giulia et sa mère.

— C'est ta femme.

— Ma défunte épouse, oui. Sais-tu comment elle est morte ?

— Non.

— Continue de tourner les pages, Célia.

Je ne réponds rien, j'ai bien trop peur de comprendre ce qu'il veut me montrer. J'ai raison. Tyron l'a enlevée pour la prostituer.

— Que s'est-il passé ?

— Ton fumier de mec a kidnappé Magdalèna alors qu'elle venait de déposer Giulia à la crèche. Elle était magnifique, une beauté naturelle. Il a donc décidé de la mettre dans un de ses

320

bordels pour en faire une pute. Ma pauvre Magda a péri sous les coups d'un « bon » client. Son corps a été retrouvé quatre jours plus tard dans une ruelle. Seul un tatouage caché dans sa nuque m'a permis de remonter la piste afin de trouver le chef du réseau de prostitution qui l'a tuée. Devine quoi ! C'est ton connard de mari qui était derrière tout ça. Alors, je me suis promis de lui rendre la pareille, m'explique Léandro.

— Pourquoi ne l'as-tu pas fait ?

Je le regarde avec raideur, mon corps tout entier est tremblant de colère. Tyron était un monstre et je ne le savais pas. Cependant, Léandro, lui, savait. Si j'avais été à sa place, la fureur aurait pris le dessus sur le reste.

— …

— Réponds-moi ! hurlé-je pour qu'il me dise la vérité.

— Je n'ai pas pu. Je suis tombé amoureux de toi. Je te veux à mes côtés pour le restant de mes jours, Célia ! Je sais que ça paraît incroyable, mais c'est arrivé, finit-il à bout de souffle.

— Tu es fou ! Comment vouloir passer sa vie avec la femme de celui qui a détruit ta famille ? réponds-je complètement abasourdie par son discours.

— Tu n'y es pour rien. Tu ne savais même pas ce qu'il trafiquait à part les armes, ça, je le sais.

— Je ne peux pas ! J'ai tué tes hommes, ton frère aussi ! dis-je pour qu'il réagisse et comprenne que nous n'avons rien à faire ensemble.

— Je suis au courant, je t'ai laissé agir. J'avais compris tes agissements, c'est pour cette raison que j'ai décidé de te laisser déverser ta haine. Je ne devais pas intervenir, tu avais besoin de ça. Je peux même t'aider à tuer les Russes. Je te demande simplement de rester à mes côtés et de devenir la mère que Giulia rêve d'avoir. Elle a besoin d'une présence féminine dans sa vie, en plus d'un repère stable ! me propose Léandro prêt à tout pour m'avoir à ses côtés.

C'est de la pure folie !

— Pourquoi je ne te buterais pas ? lui lancé-je provocatrice et sérieuse en même temps.

— Vas-y, laisse ma fille en vie et élève là. Sinon, tu peux arrêter ta vengeance pour reprendre une existence normale en devenant ma femme. Ou alors tu vas détruire le clan de Magomedov ensuite, tu réfléchis à ce que tu veux faire nous concernant. À toi de voir !

La porte s'ouvre sur une Giulia en grande forme. Dès qu'elle me voit, elle me saute dessus.

— Céliaaa !

— Coucou ma puce.

— Tu es venue pour me voir ? demande-t-elle surexcitée.

— Je suis malheureusement obligée de partir ma douce, j'avais une discussion à avoir avec ton papa, je dois y aller maintenant.

— Oh dommage, je voulais passer du temps avec toi, dit Giulia déçue.

— La prochaine fois, d'accord ? botté-je en touche.

Le visage de Léandro se détend, il sait que je ne mentirais jamais à un enfant. Je l'ignore, me tourne vers la petite pour l'embrasser puis, j'attrape le tas de papiers avant de quitter la maison. Je dois rester seule pour digérer tout ce que j'ai appris. J'ai besoin de réfléchir.

Chapitre 87

Je décide de rentrer chez moi, je dois à tout prix me remettre en question et surtout vérifier certaines choses. C'est donc totalement perdue que je m'éloigne de ce pays de malheur, mais également de Léandro. C'est la première fois que je me retrouve dans un état mental aussi instable. La peine et la colère ne sont plus dues qu'au décès de Tyron, mais bien à ce qui semble être sa trahison. Visiblement je ne connaissais pas mon mari, loin de là même, je me suis fait manipulée par ce bâtard.

Je dois voir Arthuro, c'est primordial. Il pourra me confirmer ou m'infirmer les informations que m'a données Léandro. Dans un cas comme dans l'autre je vais péter un plomb, mais je dois connaître la vérité. S'il s'avère que Tyron m'a utilisée, je risque de perdre le peu de santé mentale que j'ai. Je me maîtrise en tuant depuis des années, accompagnée par l'amour de mon mari. Si je découvre qu'il m'a réellement trahie, il va y avoir beaucoup de morts dans un avenir proche.

Retour au bercail, je veux retourner dans mon environnement, retrouver mon cocon, ma cave et ma vie. Enfin, plutôt un semblant de vie. Celle-ci a radicalement changé depuis que j'ai reçu le message de Tyron et que j'ai appris sa mort. Je suis comme qui dirait, en mode automatique.

Ma vue depuis ce jour, est tachée de rouge, mon âme... sanglante. Ça fait des semaines que j'essaie d'atténuer ma douleur en tuant les personnes coupables de la mort de mon cœur. Se pourrait-il que Tyron m'ait sciemment dit de ne rien entreprendre dans le but que j'agisse, au contraire ? Après tout, il savait que je ne pourrais pas rester bien sagement à continuer à vivre comme si de rien n'était. Je vais devenir folle, si ça continue !

Après avoir réservé un vol de retour pour le lendemain, je commande une bouteille de vodka à la réception. J'ai besoin d'oublier ne serait-ce que le temps de quelques heures, ma vie merdique. Je vais passer la nuit dans ma chambre à picoler. Je sens que les premiers effets commencent après avoir englouti plus de la moitié du flacon. Je ne suis d'ordinaire, pas une grande buveuse cependant là, c'est un besoin. Ma bouche devient pâteuse, mes yeux se ferment d'eux même alors que mon corps devient lourd à un tel point que je m'endors un verre vide à la main. Mon subconscient m'entraîne dans les tréfonds de ma mémoire. Malgré moi, je me revois enfant avec mes parents puis je redécouvre LA rencontre, celle qui m'a permis de devenir la femme de Tyron. Notre vie commune, nos moments de joie, nos parties de jambes en l'air, nos disputes, mais également la façon dont on a été séparés. Léandro apparaît en dégageant tout le reste de ma tête. Ça me semble tellement réel. Mon corps mou reprend vie, mon cœur se met à cogner plus fort, mes poils se redressent et un courant électrique me traverse de part en part. C'est comme si lui reconnaissait Léandro comme sien. C'est un truc de fou, comment mon âme pourrait le considérer comme son double, alors qu'il vient de me détruire. Avec seulement quelques photos et documents, il a fait voler en éclats mes certitudes !

Je sais que pour beaucoup, je suis un être monstrueux qui n'hésite pas à mentir et tuer sans scrupules, seulement je suis bien plus que ça. Seul Tyron avait su passer outre ce que je montrais au premier abord. Il a gratté la surface, puis a trouvé la carapace épaisse qui protégeait la petite fille au fond de moi. Cette partie de mon être qui n'espérait qu'une chose, tomber amoureuse de la personne créée pour elle. Je pensais l'avoir trouvée, visiblement c'était une belle erreur. Je suis tombée sur un connard manipulateur, coureur de jupons en plus d'être un menteur. Quelque part, je me dis que j'ai ce que je mérite, pourquoi un être mauvais comme moi, qui n'a aucun remords lorsqu'il tue, aurait le droit d'être aimée ? Mon cerveau imbibé, mes rêves ainsi que ma réalité disparaissent pour me laisser sombrer dans le néant.

Durant mon sommeil, j'ai eu comme un sentiment de plénitude en plus d'une douce chaleur. J'avais même l'impression qu'on me prenait dans les bras et qu'on me chuchotait des mots doux. Je devais être sacrément fatiguée, voire en manque d'affection pour fantasmer ce genre de chose.

Les rayons du soleil me chauffent le visage me forçant à ouvrir les yeux. Grave erreur, car j'ai les iris qui crient « *au secours* ». Je ne parle même pas de mon crâne en plus de mon estomac. Un marteau piqueur a élu domicile dans ma caboche, une envie de vomir se fait ressentir. Je cours jusqu'aux toilettes pour vider les restes d'alcool. Après m'être lavé les dents, je prends dans mon sac, un comprimé pour soulager mes maux.

Lorsque je retourne dans la chambre, une odeur de parfum qui n'est pas le mien s'immisce dans mes narines.

On dirait celui de Léandro.

Mon inconscient parle à ma place. Visiblement mon cerveau ne veut pas arrêter de penser à lui. Ça devient ridicule ! Je me recouche un peu, le temps que le médicament agisse. En posant mon visage sur le second oreiller, l'effluve est beaucoup plus fort. Ni une ni deux, je sors du lit.

C'est quoi ce bordel ? Comment cette odeur s'est-elle retrouvée là ?

Je fouille la pièce du regard jusqu'à ce que je vois un morceau de papier posé bien en évidence sur la table. Je m'en empare, en voyant la signature à la fin, je me fige. Voulant être sûre de bien avoir compris le mot, je décide de le relire.

« *Célia*

Je suis désolé, je n'ai pas été capable de dormir loin de toi cette dernière nuit avant ton départ. Comme je te l'ai avoué hier, je suis tombé sous ton charme. Des sentiments forts sont nés pour toi sans que je ne puisse rien y faire. Je ne veux ni ne désire être éloigné de la femme que je souhaite à mes côtés pour le restant de mes jours. Giulia te considère déjà comme sa nouvelle maman depuis longtemps. Je lui ai toujours parlé de toi, des projets que je nourrissais pour nous trois. Tu as une place spéciale dans nos cœurs. Je sais que tu as besoin de recul et de te retrouver. C'est le temps que je suis prêt à t'accorder pour que tu sois à cent pour cent avec nous, l'esprit apaisé.

Je te laisse donc un an, maximum, avant de venir te chercher pour te ramener à la maison afin qu'on puisse vivre enfin heureux ensemble.

Je t'attends, je t'aime.

Léandro

Je suis estomaquée par ce que je viens de lire. Je me demande surtout comment il est entré dans ma chambre. Cette missive m'indique qu'il a, visiblement, besoin d'un psy. Malgré tout ce qui lui est arrivé dans la vie, il est prêt à aimer de nouveau, moi en l'occurrence. Comment est-ce possible ? On ne se connaît pas, il a à sa charge une fillette. Je sais que je suis attirée par Léandro. Le sentiment de bien-être que j'ai ressenti cette nuit m'indique que je suis apaisée par sa présence. Mon cœur qui bat la chamade à cet instant me confirme que j'ai de l'attachement envers lui. Mais se pourrait-il qu'il s'agisse d'amour ?

Non, c'est l'alcool qui doit m'avoir fait ressentir des choses qui n'existent pas. Je tente de me rassurer d'une manière ou d'une autre.

Pour être tout à fait franche avec moi-même, je ne veux pas y penser pour le moment. Je dois finir ce que j'ai commencé.

Ensuite, si je suis encore en vie après ma mission, alors je réfléchirai à ses sentiments, aux miens également. Je ne sais pas, si j'ai le droit d'entrée dans la vie de cette petite fille, je ne suis pas une personne morale. Encore moins digne d'élever un ange comme elle. Je dois partir loin d'ici, regardant l'heure, je me rends compte qu'il faut que j'accélère le mouvement. Mon vol décolle dans moins de quatre heures.

Chapitre 88

Depuis mon retour en France il y a deux mois, j'ai retrouvé mon quotidien. J'ai laissé la place de chef au sein de mon entreprise à Maélia. Arthuro m'ayant confirmé les informations données par Léandro sur Tyron, j'ai décidé de continuer mon action meurtrière.

Attention, je ne combats plus pour le venger, mais pour aider ces filles.

Je veux éliminer ces cafards qui profitent des femmes pour s'enrichir. C'est surpris par le double visage de son patron qu'Arthuro a procédé à un travail de recherche. Le but étant de trouver les emplacements des bordels de Tyron. Pavel Magomedov, aussi fier soit-il, ne risquera pas de perdre de l'argent ni des clients en délocalisant le business. C'est donc munie d'une liste de cinq endroits retenant des jeunes femmes victimes de ce commerce, que je suis partie.

J'ai libéré les filles en plus d'éradiquer le trafic sexuel récemment obtenu par les Russes. Si j'avais su que Tyron détenait ce genre d'endroit, je l'aurais envoyé six pieds sous terre moi-même depuis longtemps. D'ailleurs, il le savait d'où le secret bien gardé jusqu'à aujourd'hui. J'ai voyagé un peu grâce à ce fumier en allant en Pologne, puis aux États-Unis. Je m'étais arrangée, avant de quitter la France, pour me procurer des armes sur place qui seront ensuite remises en circulation par mes contacts dans les quartiers malfamés.

C'est un euphémisme de dire que je suis satisfaite d'avoir détruit les plans juteux des Russes. J'ai libéré cent cinquante-six filles des griffes de ces enfoirés. Je n'ose imaginer la rage qui doit transpirer de chaque pore de leurs peaux après avoir appris la perte de leurs profits.

Célia 1/Magomedov 0

Pour finir le travail que j'ai commencé, il faut que Pavel ainsi que ses trois fils disparaissent de ce monde. Je décide donc de partir en Russie. Je dois trouver un moyen pour les approcher d'une manière ou d'une autre. C'est dangereux, voire mortel, malgré tout, je suis prête à prendre ce risque. Ils ont fait assez de mal comme ça, il est temps de mettre fin à ce sentiment de puissance qui les entoure.

Arthuro a effectué un travail de fourmi en réussissant à dénicher une information précieuse. Magomedov a pour habitude de passer commande à un pâtissier pour les grandes occasions. Je vais donc tout faire pour entrer, peu importe le poste, dans cette entreprise pour pouvoir le moment venu, éliminer le clan de Pavel. Merci aux cours de langue que j'ai suivis durant ma jeunesse, grâce à ça, je parle couramment le russe.

Il m'a fallu insister tout en motivant une femme à quitter son travail pour être embauchée. Je commence demain en tant que vendeuse puis, quand des réceptions tombent, jouer les serveuses auprès des clients. Les jours se suivent et se ressemblent, c'est d'un ennui mortel. La chance frappe à ma porte au bout de deux mois. Mon patron m'informe qu'il attend de ma part, un travail professionnel dans quinze jours. J'acquiesce, puis dès qu'il a le dos tourner, je m'empresse de regarder l'agenda pour voir ce qu'il a noté pour ce week-end du vingt-six juin. Un sourire naît sur mes lèvres, le vieux Magomedov marie sa nièce dans son domaine hautement sécurisé. C'est l'aubaine pour moi, je vais pouvoir pénétrer dans l'antre du démon sans éveiller les soupçons. Qui se méfie d'une employée présente pour servir tout ce beau monde ? La commande étant conséquente, mon boss me demande de donner un coup de main. J'effectue des heures supplémentaires pour que tout soit prêt à temps. Deux jours avant la réception, la pièce montée commandée commence à être préparée. Je suis affectée à la pesée des ingrédients pour avancer les pâtissiers. Je sors de mon tablier un sachet contenant de la ricine puis me couvre les voies respiratoires avant de l'incorporer à la farine. Cette poudre blanche est indolore en plus d'être six mille fois plus toxique que le cyanure.

Pourquoi utiliser de la ricine plutôt qu'autre chose ? C'est simple, les personnes qui vont ingérer les gâteaux vont dans un premier temps avoir des nausées, des diarrhées, mais également des vomissements avant de mourir trente-six heures après ingurgitation de la substance. Le bonus ? Il n'y a pas d'antidote pour soigner un empoisonnement à la ricine. Une mort douloureuse attend Magomedov et sa famille.

Le jour J arrive enfin, je suis heureuse de pouvoir le voir perdre de sa superbe, cette merde de russe et ses mioches. Nous arrivons vers neuf heures sur les lieux. Le camion est fouillé tout comme nous, avant qu'on ne nous laisse passer afin d'accéder aux cuisines, ainsi qu'aux frigos pour y déposer les gâteaux. Pavel Magomedov a demandé au patron de la pâtisserie de rester afin de servir les convives. Nous sommes trois employées à devoir attendre sur place. Autant dire que ça m'arrange grandement, je vais pouvoir observer ces connards prendre leur dose de poison. Une fois sûre que le gâteau a été avalé par les soixante-dix personnes présentes au repas, je simule un malaise pour demander à mon chef de me libérer.

Le dîner étant fini, il accepte en grondant que je ne vais pas les aider à ranger, mais me laisse partir. Je fais donc mine de m'en aller. Une fois éloignée de la cuisine, je me dirige vers les escaliers qui mènent aux étages supérieurs. Il y a tellement de personnes présentes que je passe facilement inaperçue. J'arrive au dernier étage, je me dirige vers les portes. Quand j'entre dans une chambre somptueusement décorée, je regarde les cadres présents dans la pièce, je comprends que je suis là où je le souhaite. Les appartements privés de Pavel ! Je me précipite donc dans un placard de rangement qui semble peu utilisé si j'en crois la couche de poussière présente sur le meuble qui se trouve ici. Bloquant la poignée pour être certaine que personne ne puisse me débusquer. Je finis par regarder l'heure sur ma montre en appuyant sur le bouton qui actionne l'éclairage prévu sur celle-ci. Dans un petit moment, tout le monde sera souffrant. Tic-tac, le rendez-vous avec la faucheuse est pris, dans moins de trente-six heures, la mort frappera à la porte de ce manoir maudit.

Je m'installe aussi confortablement que possible, l'attente va être longue. Je finis par m'endormir puis je suis réveillée par les plaintes et les gémissements des personnes qui courent dans le couloir. Je regarde le cadran, m'apercevant que j'ai dormi trois heures. Pas étonnant que je sois si crevée, j'ai passé la moitié de la nuit à finaliser cette saleté de pièce montée. L'avantage de ce poison, c'est que les personnes sont tellement malades qu'il leur est impossible de quitter les lieux. Peu après, j'entends des voix inquiètes ainsi que des pas lourds venir dans ma direction. Une porte claque contre un mur, puis des ordres sont donnés. Visiblement, les gardes du corps de la famille Magomedov ont pris les choses en main. Les quatre membres de la famille sont installés à l'étage du père de famille. Les hommes de main sont inquiets, un appel est passé. Peu de temps après, un médecin arrive. Il pose des questions pour comprendre de quel mal toute une assemblée est victime, enfin surtout la « *famille royale* ». D'après ce que j'entends, il semble s'inquiéter. Le ton du docteur est moins sûr, il dit qu'il doit procéder à des prises de sang sur les membres Magomedov avant de partir en urgence pour avoir des réponses.

Il ne va pas être déçu, je ne suis pas sûre qu'il repointe le bout de son nez ici. Annoncer à un mec comme Pavel qu'il va crever et qu'il ne peut rien faire. Le gars sait qu'il sera mort avant d'avoir fini sa phrase. Autant laisser agir le poison en restant éloigné des armes de ce taré. Deux heures plus tard, un téléphone sonne, quelqu'un décroche, écoute puis hurle avant de balancer l'appareil contre une surface dure. J'attends encore avant de tenter de sortir de ma cachette. Je ne suis pas suicidaire non plus. Le bon docteur a dû donner des calmants à mes cibles avant de se carapater, car je n'entends personne se vider que ce soit par devant comme par-derrière. Un bâillement m'indique qu'une personne est fatiguée, c'est une occasion de récupérer une arme.

Chapitre 89

Une fois l'homme endormi et que plus aucun bruit ne filtre à l'étage, je sors de ma cachette. Discrètement, je m'approche du gaillard qui s'est assoupi sur une chaise, puis je tords son cou d'un coup sec. Mort, il ne représente plus aucun danger. Je récupère son flingue, vérifie qu'il soit bien chargé et regarde le nombre de balles dans le chargeur. Il reste donc six munitions qui me permettront de me défendre en cas de besoin. Je ne compte pas tirer dans le tas, mais s'il le faut je pourrais éliminer quelques menaces.

Pavel dort toujours, c'est l'avantage d'agir discrètement. Je replace la tête dans un axe « *normal* » au cas où quelqu'un vienne par là. Il donne l'impression de dormir paisiblement, le fait de l'avoir tué durant son sommeil, joue un rôle important. Le garde n'a pas eu le temps de réagir ni de comprendre ce qu'il lui arrivait avant que son dernier souffle ne quitte sa poitrine.

Je me rapproche de ma cible principale, il est temps que cette histoire prenne fin. Pour toutes les victimes des différents trafics de ce connard. Attention, je ne critique pas le métier, juste le commerce d'êtres humains. Je suis contre à cent pour cent. Les enfants et les femmes principalement sont visés, car ils ne peuvent pas se défendre. Contrairement aux gangs qui sont armés, eux ont la possibilité d'agir en cas d'attaque de rivaux.

Pavel a le front perlé de sueur dû à la fièvre. Il meurt à petit feu. J'aime beaucoup ce spectacle. Je retire la couverture qui le couvre, son corps tremble de toute part. Visiblement, il n'apprécie pas de perdre la chaleur qu'elle apportait. Je passe le flingue dans l'élastique de ma culotte. J'attrape le couteau que j'ai caché dans le bas de mon dos. Je me déplace silencieusement jusqu'à la porte de la chambre. Délicatement, j'ouvre le battant puis jette un œil pour voir ce qu'il se passe dans le couloir. Personne dans les environs, je repousse donc le panneau de bois afin de m'enfermer avec Magomedov.

Dès que la clé est tournée, je suis sûre que personne ne pourra me déranger, je rejoins le chef de la mafia russe. Je place un bout de tissu sur sa bouche dans le but d'étouffer ses cris. J'enfonce la pointe du couteau dans son flanc droit, la pression que je mets augmente au fur et à mesure que sa peau résiste à la pénétration de l'acier. Pavel ouvre les yeux, tente de hurler de douleur cependant, ma main enfonce l'étoffe que j'avais placée sur ses lèvres dans sa bouche, seul un son étouffé réussi à passer la barrière. Il essaie de se défendre avec ses bras dans l'espoir de m'éjecter, seulement le poison l'a grandement affaibli. Par ailleurs je continue ma lente progression en faisant entrer la lame entre ses côtes. Une fois passer les tissus mous, j'enfonce l'arme jusqu'à la garde. Son corps stoppe tout mouvement, je viens de percer le poumon. Il place ses mains sur son cœur, quand l'organe est perforé, une grande douleur se manifeste dans la poitrine comme s'il avait reçu un grand coup de poignard. Plus il respire fortement, plus sa souffrance augmente. Pour ajouter à sa détresse, je ressors la dague puis lui taillade les joues en créant des branchies. C'est un requin après tout, je peux à mon niveau, donner un air de ressemblance. Un afflux de sang s'écoule de la plaie, à chaque tentative de respiration, le liquide rubis dévale avec plus de force le long de son cou. Son visage se teinte rapidement. Le voir chercher à retenir la sève qui le maintient en vie, me

343

réjouit. Ses iris ainsi que sa bouche sont grands ouverts à l'affût d'un souffle qui le maintiendra dans le monde de vivants. Quand je vois que sa fin est proche, je me penche au niveau de son oreille.

— *Va pourrir en enfer, nous nous retrouverons là-bas.*

J'ai juste le temps de le regarder dans les yeux pour voir l'étincelle quitter son corps.

Je passe par la salle de bain pour me nettoyer un peu avant de quitter la pièce pour me rendre dans les autres chambres à la recherche de ses enfants chéris. Discrètement je me rapproche, élimine les quelques gardes qui sont encore debout. Je récupère leurs munitions ainsi que leurs flingues. Quand j'entends des lamentations, je comprends que les trois frères sont ensemble. C'est bien, je vais pouvoir les buter en même temps. J'ouvre la porte, tends mon arme devant moi. Miroslav et Piotr sont couchés sur un lit, mon intrusion les sort de leurs somnolences.

— *Artiom ! Viens vite !* s'alarme Piotr en me voyant alors qu'il ne peut pas bouger, car il est trop affaibli.

— *Quoi ? Tu ne peux pas me laisser dégueuler tranquille ?* dit Artiom vaseux.

Mon flingue est pointé sur la porte de la pièce d'où vient la voix. J'entends en même temps que je ressens l'impact, le bruit d'un coup de feu. Une douleur m'assaille dans le bras gauche, instinctivement je touche ma blessure avant de tirer à mon tour. Un échange de tir s'ensuit, au bout de trois minutes intenses, le canon encore fumant, je baisse mon arme. Ils sont tous morts, je me retrouve avec deux bastos dans le corps. En plus de mon biceps, mon ventre a été touché. Je réussis à tenir debout grâce à l'adrénaline qui circule dans tout mon être, cependant l'effet se dissout de seconde en seconde. Je laisse retomber mon arme au sol et place mes mains sur la plaie qui est proche de mon estomac. Ils ont réussi à toucher un point vital.

Mon corps s'affaisse, mes jambes n'arrivent plus à me tenir. Ma vue devient floue, mes oreilles sifflent. Je sais que je ne vais pas réussir à m'en sortir cette fois-ci. C'est très bien ainsi. Au loin, j'entends des coups de feu, malgré tout, je ne m'inquiète pas. Je vais quitter ce monde, sereine. La porte s'ouvre avec fracas, je n'ai pas le temps de voir qui débarque que je perds connaissance.

Épilogue

Trois mois plus tard

— Célia, tu es où ? demande Léandro

— Ici !

— Ma chérie, je t'ai déjà dit que tu devais te reposer, me gronde-t-il gentiment.

— Arrête de me couver comme une petite chose fragile, bordel ! grogné-je.

— Tu sais que tu ne dois pas trop forcer. Ton corps ne s'est pas encore remis à cent pour cent.

— Oui je sais, ça va. Je ne force pas.

Léandro s'approche de moi puis m'entoure de ses bras par-derrière. Je le repousse, je suis pleine d'hémoglobine et je ne veux pas le tacher. Ça ferait mauvais genre s'il allait chercher Giulia à l'école, les vêtements couverts de sang. Il me dépose un baiser dans le cou après m'avoir caressé les hanches puis, quitte mon antre.

Quand je repense à la façon dont il m'a retrouvée. C'est cet imbécile qui m'a sauvé la vie cette nuit-là. À mon réveil, il m'a hurlé dessus. Léandro m'avait laissé du temps pour que j'accepte la trahison de Tyron. Par amour pour moi, il avait mis de côté ses envies afin que je comprenne que ma place était avec lui et Giulia. J'avais refusé sa proposition pour deux raisons.

La première : il y avait un risque que je ne sorte pas vivante de la propriété de Magomedov. On ne peut jamais être sûre de rien dans ce monde.

La seconde : même si je ressentais quelque chose de fort pour Léandro, je ne voulais plus donner mon cœur à un autre homme.

Bon OK, il y en avait une troisième, je voulais le descendre aussi.

Quand j'ai vu le visage de Léandro après avoir passé plusieurs jours, inconsciente. Mon incompréhension, puis la joie de le voir se sont mélangées. Il n'avait rien dit, Léandro s'était juste penché pour m'embrasser. La tension dans nos corps respectifs était descendue instantanément. Nos regards parlaient pour nous.

— À partir d'aujourd'hui, tu es à moi. Tu vas venir habiter avec ton homme et ta fille d'adoption. On est d'accord ? Tu crois que je vais te regarder mourir sans bouger le petit doigt ? Célia, tu m'appartiens. Essaie de me tuer si tu le souhaites, mais sache que je ne compte pas te quitter, donc fais-toi à l'idée que nous sommes coincés ensemble.

— Léandro…

— Non, ça suffit ! hurle-t-il. Tu vas accepter de me faire confiance et de tout me donner. Je sais que tu as des sentiments pour moi. La question ne se pose pas en ce qui me concerne, je t'aime comme un fou.

— D'accord, je vais essayer de te buter, mais si tu réussis à survivre alors je considérerai que tu peux être assez fort pour être à mes côtés. Ne crois pas que ça va être facile, car j'ai vraiment très envie de te foutre une balle dans la tête. Ah oui, si tu comptes m'avoir dans ta vie, je te conseille d'arrêter le trafic d'être humain.

— C'est déjà fait ma belle. On garde les stups, les armes et en extra, tes services de tueuse à gages. Tu es *la veuve noire*, après tout.

Voilà comment nous en sommes arrivés là en trois mois. J'ai gardé mon affaire ainsi que ma maison en France.

Impossible de risquer que quelqu'un découvre mon antre des horreurs. De plus, ça nous fait un pied à terre quand je de travaille là-bas. Je prends l'avion deux fois par mois. Léandro a réussi l'exploit de me faire lâcher prise. Je lui offre petit à petit accès à mon cœur en plus de mon corps. Je ne veux pas dire à Léandro que je l'aime aussi, pas trop rapidement, j'adore le torturer avec ça. Bon en revanche, je n'avais pas prévu de tomber enceinte. Avec Tyron, j'avais pris l'habitude d'être déçue chaque mois en voyant que mes règles débarquaient. Une joie incommensurable m'a assaillie quand j'ai réalisé un test de grossesse et que le résultat est apparu positif.

Ce soir, j'annoncerai la nouvelle, enfin après lui avoir fait l'amour. Si je lui dis avant, il va vouloir y aller doucement. J'ai trouvé une façon originale pour que Léandro comprenne qu'il va devenir père à nouveau. J'ai emballé dans un beau paquet, un bocal contenant un fœtus de porc qui baigne dans du formol. On pourra le placer dans notre pièce des curiosités. J'ai convaincu Léandro de me laisser avoir un endroit spécial, comme je le suis moi-même. Ce que je peux aimer cet homme, je ne pensais pas être capable de laisser Léandro m'approcher. Je me suis trompée.

La vie a décidé de m'accorder un peu de bonheur malgré les cadavres que j'ai laissés derrière moi depuis tant d'années. J'espère que ce bébé voudra apprendre mon métier, j'aimerais apprendre cette partie de ma vie à ma progéniture. Ce serait une fierté de transmettre ma passion et mon patrimoine morbide à la chair de ma chair.

J'espère que Giulia voudra également découvrir mon monde, vivre ça à trois serait encore plus merveilleux.

FIN

Remerciements

Tout d'abord, je tiens à vous dire merci pour avoir lu mon histoire. J'ai pris beaucoup de plaisir à l'écrire.

Ensuite je dois dire un grand Merci à mes deux bêtas Magalie P. et Wylia A. pour avoir pris le temps de m'aider dans cette aventure et pour leurs messages qui m'ont bien fait rire en les lisant durant la reprise de mon roman.

Une mention spéciale pour mon mari, mes enfants et ma tatie qui m'ont soutenue et qui m'encouragent chaque jour à continuer cette belle aventure.

Et enfin, Leticia Joguin Rouxelle, sans toi jamais ce roman ne serait lu. Alors MERCI pour ta confiance en moi et en cette histoire.

Je suis ravie de travailler avec toi.

MELAINA

BLOOD
Revenge

MÉLAINA

Milton Keynes UK
Ingram Content Group UK Ltd.
UKHW040857181023
430840UK00001B/35